リュウ・ブックス
アステ新書

RYU
BOOKS
ASTI

スティーブ・ジョブズ 神の交渉力

＊この「やり口」には逆らえない!

竹内一正

まえがき

スティーブ・ジョブズが「神」なのは、業績が神がかりだからだけではない。

人を惹《ひ》きつける強烈な求心力。

人から「ないもの」さえ引き出す独創性。

人を情け容赦《ようしゃ》なく圧殺する君臨性。

そんなジョブズの鋭利な個性が、凡人の想像をあざ笑うごとく超越しているからである。

特に、それが交渉の現場に舞い降りると、「天才的」とか「アメリカン・タフネス」などの表現では及びもつかないすさまじさを発揮する。

ジョブズの業績は、だれもが知っている。二一歳でパソコンメーカーのアップルを創業し、二五歳で株式上場により大富豪となった。iPodは一億台以上のメガヒットとなり、音楽業界だけでなく、世界中でライフスタイルを変えようとしている。経営するアニメ会社ピクサーの作品はアカデミー賞を獲得し、アニメ映画の興行成績を塗り替え続ける。ディズニーの個人筆頭株主にもなった。さらにはiPhoneで携帯電話業界に殴り込みをかけ、話題を独占する。周囲には超優秀な人材が集結し、ひとたびステージに上がってプレゼンテーションを始めれば、瞬時に数千人の観衆を魅了してしまう。

米国経済誌『フォーチュン』が、二〇〇七年のナンバーワン経営者にジョブズを選んだのも、当然だ。

しかし、そんな光が強ければ強いほど、光がつくる影も色濃くなる。輝かしい成功の裏を見れば、恐ろしく自己中心的で、すべてを自分一人で決める独裁者のジョブズがいる。部下に忠誠を求め、裏切りは絶対に許さない。感情の起伏は激しく、好き嫌いが極端にぶれる。

だが、世にないすごいモノを生み出す人物は、そもそも万人に愛される好人物ではないのだ。正邪両面を持つことが必要だ。

そして、運がよい人だけが成功を手にするのではない。ピンチを乗り越えようとする強い意志を持つ者が道を切り開く。ジョブズはその典型であり、道を開く武器は交渉力であった。ハーバード・ビジネススクールでも学ぶことのできない彼の交渉力は、味方には百万の勇気を与え、敵には恐怖の嵐を起こす。策略は神のように大胆で、非常識さは悪魔のようだ。世間が不可能だと断じる交渉さえ可能にする。

世間は、過去を美化したがる。だが、ジョブズほど両極端な人生を歩んだ者はいない。華やかな視点ではなく、ピンチという観点で見ると、彼の人生はこう変わる。

せっかくつくったアップルを、自分のわがままな行動のせいで三〇歳にして追放される。復讐を誓ってつくった会社ネクストは赤字続きだ。アニメ制作会社ピクサーを映画監督ジョージ・ルーカスから買ったが、ヒットを出せず、赤字を埋めるために個人資産はどんどん減る。ようやくアップルに復帰したものの、そこも赤字で、かつて輝いていたブランド力も光を失なっていた。そしてある日、自分の体に膵臓《すいぞう》ガンが発見される……。

ピンチの谷底から栄光の頂点へと駆け上がり、また転落しては復活する波乱の人生だ。この強靭《きょうじん》さが多くの人を感嘆させ、魅了するのである。

本書はジョブズの成功だけでなく、挫折もふくめた強烈な生きざまにスポットを当てる。そして、ビジネスへの執念を、交渉力という切り口から解明する。

日本は今、個人所得も伸びず、ビジネスにも閉塞感《へいそくかん》がただよう。なにをどうしていいのか、宙ぶらりんの状態だ。だからこそ、熱いジョブズの生きざまが、読者の目の前の悩みを吹き飛ばし、一歩先へ進む勇気となれば、こんなうれしいことはない。

竹内一正《たけうちかずまさ》

◎ジョブズ事件簿

西暦年	スティーブ・ジョブズ	そのとき
一九五五	二月二四日、ジョブズ誕生	ビル・ゲイツ生まれる
一九七一	ウォズニアックと出会う	カップヌードル発売
一九七二	オレゴン州リード大学に進学	ウォーターゲート事件
一九七四	アタリの社員になる	『宇宙戦艦ヤマト』放映
一九七六	アップルを創業。「アップルⅠ」発売	ロッキード事件
一九七七	アップル社長にスコッティ。「アップルⅡ」発売	『スター・ウォーズ』上映
一九八〇	アップルが株式を公開、ジョブズ億万長者となる	ジョン・レノン射殺
一九八一	マッキントッシュ・プロジェクトを指揮	ＩＢＭパソコン発売
一九八三	アップル社長にスカリー就任	東京ディズニーランド開園
一九八四	「マッキントッシュ」発売。ＣＭ「一九八四」発表	『ターミネーター』上映
一九八五	ジョブズ、アップルを追放されネクストを創業	プラザ合意
一九八六	ルーカスからピクサーを買収	チェルノブイリ原発事故
一九八九	『ティン・トイ』がアカデミー短編アニメ賞受賞	昭和天皇逝去

一九九一	アップルがＩＢＭと提携。ビートルズと商標問題	湾岸戦争。ソ連消滅
	ピクサーとディズニーが契約。ジョブズ結婚	バブル経済の崩壊始まる
一九九三	スカリーに代わりスピンドラーがＣＥＯ就任	世界貿易センタービル爆破
一九九五	『トイ・ストーリー』大ヒット。ピクサー株式公開	ウィンドウズ95発売
一九九六	ジョブズ、アップルに特任顧問として復帰	アトランタ五輪
一九九七	アップルがネクスト買収を完了し、ジョブズがアップルの暫定ＣＥＯに復活	
	アップルがマイクロソフトと業務提携	アジア通貨危機
一九九八	「ｉＭａｃ」発売	ウィンドウズ98発売
二〇〇〇	ジョブズ、アップル暫定ＣＥＯから正式ＣＥＯに	シドニー五輪
二〇〇一	「ｉＰｏｄ」発売	アメリカ同時多発テロ
二〇〇三	「ｉＴｕｎｅｓ　Ｍｕｓｉｃ　Ｓｔｏｒｅ」開始	感染症ＳＡＲＳ流行
	『ファインディング・ニモ』世界的ヒット	
二〇〇四	ジョブズ、膵臓ガンの摘出手術	アテネ五輪
二〇〇六	ディズニーがピクサーを買収し、ジョブズがディズニーの筆頭株主取締役に	
二〇〇七	「ｉＰｈｏｎｅ」発売	米国サブプライム問題

目次◎スティーブ・ジョブズ　神の交渉力

2章　弱い味方は潜在的な敵方である
——ジョブズの「非情」vs 凡人の温情

3章 妥当な案より「不当な案」で交渉を動かせ
——ジョブズの「無謀」vs 凡人の無難

4章　最善の説得術は棍棒《こんぼう》でたたくことだ
――ジョブズの「攻撃」vs 凡人の防御

5章 楽観は考えなしだが、悲観は能なしだ
――ジョブズの「遠交」vs 凡人の近攻

6章 失敗と思わなければ決定的失敗ではない
——ジョブズの「リベンジ」vs 凡人のリカバリー

7章 「待ち」は勝ちの重要な一部をなす
――ジョブズの「緩急」vs 凡人の性急

プロデュース・編集／アールズ＊吉田 宏
制作協力／桑原晃弥

1章

「言い方」は「言い分」より交渉を支配する

——ジョブズの「情報支配」vs 凡人の情報秘匿

「ニュース」が流れを変える

◎――ブレークスルーの始まり方

スティーブ・ジョブズのプレゼンテーションは、「三分間で一〇〇億円を生む」と評される。

iPodの販売総計が二二〇〇万台を突破する間、彼は三回プレゼンを行なった。売上総額をプレゼン時間で割ると、三分間約一〇〇億円になるという。

世の中には多くの天才的なパフォーマーがいるが、ジョブズのように、業績や技術などに関する話に二時間も聴衆に身を乗り出させ、聞きほれさせるエンターテインメントはいない。最後には、感動のあまりのスタンディング・オベーション（総立ち拍手）が鳴りやまなくなるプレゼンは神技であり、魔法のショーである。

彼の卓越したプレゼン能力が、アップルという会社のブランド力を高めている。その力は、iPodやマッキントッシュ（マック）と同様に、最高の商品ともいえる。同時に、最高の営業交渉でもある。

たとえば一九八四年一月のアップル株主総会だ。

二八歳のジョブズは、真っ暗な中、スポットライトに照らされて登場する。ダブルのジャケットに水玉模様の蝶《ちょう》ネクタイ姿で、ボブ・ディランの歌詞の一節を朗読してみせる。業績報告は社長のジョン・スカリーに譲り、再びジョブズにライトが当たると、

「もう十分しゃべったよ。ここらでマッキントッシュにしゃべってもらおう」

と、組み上がったばかりの新製品マッキントッシュを鞄《かばん》から取り出した。マシンは、

「コンニチワ、私がマッキントッシュです」

と合成音声で話し出す。聴衆が驚きながら見つめていると、こう続けた。

「人前で話すのは得意じゃないので、一つの定理をご紹介します。『持ち上げられないコンピュータを信ずることなかれ』です」

大型コンピュータで世界を制覇し、エクセレントカンパニーと賞賛されたIBMのパソコンが、ひどく重かったことを皮肉った意味だ。さらに、こうジョブズの紹介を行なった。

「では、誇りを持って、私の父親というべき人物を紹介しましょう。スティーブ・ジョブ

ズです」

斬新で未来的なデザインのパソコンがステージの上でしゃべり、ジョブズを紹介する。みごとな演出だ。観客はあっけにとられ、すぐに割れんばかりの拍手が会場全体に巻き起こった。そのときジョブズは伝説になった。マックは一〇〇日間で七万台もの売上を記録している。

◎——負けたときほど「前に出る」ことだ

ジョブズは、強引すぎる交渉、傲岸不遜《ごうがんふそん》な言動、超自己中心的な性格でも知られる人物だ。しかし、それらと裏腹に「彼なら三分間で一〇〇億円くらい稼ぐかも」とみんなが納得する本当に驚嘆すべき話をする。

どこでこれほどの能力を身につけたのだろうか。

スティーブ・ウォズニアックとアップルを創立した当初から、ジョブズがすぐれた交渉力を持っていたのは確かだ。人に不可能を可能と信じさせる力があった。

だが、はじめて参加した一九七七年の第一回パーソナルコンピュータ・フェスティバルでは、アップルのブースはまるで目を引かなかった。会場の隅にあって、用意されたものは名刺と、ラミネートしたアップルの雑誌記事だけだ。開襟《かいきん》シャツに長髪、ひげもじゃのジョブズから、信頼できそうな雰囲気は微塵《みじん》も感じられなかった。

変化は、半年後のウエストコースト・コンピュータ・フェアで起きている。広告のノウハウと資金の必要性を知ったジョブズは、新進気鋭の広告代理店レジス・マッケンナ・エージェンシーや、できたばかりのアップルに投資したマイク・マークラの協力を得てフェアに臨んだ。

ブースは別世界だった。入口真正面を手回しよく押さえ、デザインにも当時のアップルには大金だった五〇〇〇ドル（約一四〇万円）をかけた。ジョブズもはじめてスーツを着た。フェアは大成功をおさめ、主力商品だったアップルIIには、数カ月で三〇〇台もの注文が殺到する。アップル成長のきっかけだった。

七年後のジョブズ自慢のマッキントッシュ発売のころには、彼のプレゼンによって製品への注目度を高め、売上を飛躍的に伸ばす手法に磨きがかかる。

ジョブズは、自分が創立したアップルを一度は追われ、一〇年以上たって復帰したのだが、その復帰劇も、彼のプレゼン能力抜きには考えられなかった。

復帰のきっかけは、ジョブズが開発したOS（オペレーティング・システム）「ネクストステップ」をアップルが採用したことだが、採用を最終的に決断させたのは、取締役会でのジョブズの圧倒的なプレゼンテーションだった。それは、当時のアップルCEO（最高経営責任者）ギル・アメリオが、「実際的、具体的で、的確だ！」と激賞したほどのものだった。

二〇〇一年一月のマックワールド・エキスポでは、基調講演の最後に、復帰後しばらく暫定CEOだったジョブズが「肩書きから『暫定』が消える」と発表しただけで、参加者から「スティーブ、スティーブ」という歓声が上がったのには驚いた。やがて会場総立ちの拍手となる。まるで、ローリング・ストーンズのミック・ジャガーが舞台に駆け上がるときのようであり、アカデミー賞を受賞した俳優が登壇していくような華麗さがあった。

◎──「不可能」の反対語は「可能」でなく「熱意」

ジョブズは、数千人の観衆を何時間でも惹きつけ、魅了する術《すべ》を知っている。アメリカ大統領よりも巧みに、「ここにいてよかった」「今まで以上にすごいことがこれから始まるんだ」と期待させ、興奮させる。

アメリカ大統領といえども、スピーチのときは、専門家が作成した原稿にときどき目を走らせるものだ。しかし、ジョブズに原稿はない。目線は常に聴衆に行く。ときには両手を広げ、胸の前で握り、製品と技術を熱く語る。

そう、ジョブズは製品を熱く語るのだ。ビジョンを信念で包んでしゃべるのだ。ここが並の社長や政治家たちと根本的に違う。ジョブズを見ていると、メッセージは、単にわかりやすく伝えるだけではダメで、熱意や感動を込めることが大切だということがわかる。

長い時間、話を聞かせる魔術のような語り口には、いくつかの秘密がある。

①じらし

相手が知りたいことをちらりと見せたり、隠したりしてじらす。まるで話術のストリップ・ショーのようだ。聴衆は、思わず「もっと聞きたい」と身を乗り出す。

②起伏

一本調子を絶対に避ける。オーケストラのように、ときに静かに、ときに荒々しく話す。また、マジシャンのように、観衆の反応を見ながら切り札を瞬時に選んで出していく。

かつて、名優ヘンリー・フォンダがレストランのメニューを静かに読み上げるだけで観客を感動させたという伝説があるが、ジョブズも、内容以上に語り口がすばらしい。

③完璧な証明

プレゼンのリハーサルにはほとんど顔を出さない。広報が一応は原稿を用意するが、目を通さない。製品のことは熟知しているし、「アップル信者」が目を輝かせるポイントもよくわかっている。話の展開は聴衆の反応によって直感で変える。時間をさくのは「製品をどのように見せるか」「デモンストレーションでなにをしたいのか」という舞台管理者との打ち合わせであり、そのための完璧な照明だ。

プレゼンテーションの魔術師スティーブ・ジョブズになることは難しいが、人を魅了する彼の力は、研究に値するのではないだろうか。

＊

私たちのまわりには、会議、報告、発表など小さなプレゼンテーションがいくつもあるが、どんな場合も、肝《きも》は「シンクロ」（同調化）である。話の進行に聞き手がついてきてくれるかだ。そのためには、まず、「部署言葉」や専門用語ではなく、だれでも理解できる「一般用語」を使うことだ。つぎに、聞き手のうなずき方を見て話の緩急を決め、熱意を込めるときの早口に気をつける。常に明瞭性を意識するのだ。

一対一の小さなプレゼンがうまくできれば、二人に対してもできる。やがて数人、数十人、そして数百人の前でも、心をつかむプレゼンができるようになる。

「あいにくダメだ」から交渉は始まるのだ

◎――公開は後悔になりやすい

スティーブ・ジョブズは、大観衆を前にするとオーラを放ち、ロックスター以上に熱狂させる。だが、一対一で接したときは悪魔に豹変《ひょうへん》する。

マスコミに対したときが、そうだ。意のままにならないマスコミなど相手にしない。言いたいことを言い、いやな質問には答えず、ときには勝手に立ち去る。イギリスのタイムズ紙との取材予約をすっぽかしたこともある。

ある有名なハイテク系メディアとのインタビュー事件は、語り草となっている。取材者はアップルの大ファンで、小一時間の取材で好意的な特集記事を出す予定だった。アップルの広報とジョブズに事前承諾を得てもいたし、インタビューはさしさわりのない話題からおだやかに始められた。

だが、なぜかジョブズの機嫌はよくなかった。だんだん雲行きがおかしくなっていく。

「さて、現在あなたは四四歳ですが、もし二五歳のときの自分にアドバイスをするとしたら、どんなことを言いますか」と聞いたときだった。

「こんなバカげた取材なんか受けるんじゃない！　と言うね」

ジョブズを引き立てたかった取材者はショックを受けた。そこに追い討ちがかかる。

「オレはこんな最低なことに時間を使うほど暇じゃない」

これで取材は終わった。

ジョブズにとってはいつもの対応だったが、取材者は後日、こう吐き捨てた。

「私は以前、薬物中毒のロック歌手なんてのも取材したけど、もっとましだったよ」

ニューヨークタイムズ紙のようなメジャーな新聞社のインタビューに応じる場合も、時間は一五分、話題もジョブズがプロモートしたいサービスなどに制限される。ウォールストリートジャーナル紙の記者など、一五分どころか、たった一つの質問をしただけで、ジョブズに立ち去られている。

それでも、会って話を聞けただけましなほうだ。アメリカの公共放送ＰＢＳのテレビ取材チームなど、約束をホゴにされて待ちぼうけを食らわされている。

◎――いきなり「直球をぶつける」技術

「マスコミ関白」という言葉を聞くことがある。事件が起きると、相手や周辺の迷惑おかまいなしに押しかけ、被害者宅前から夜中でも平気で中継したりする傍若無人のマスコミへの怒りの表現だ。アメリカでも同様である。だが、そのマスコミも、ジョブズと一対一となると逆転し、「ジョブズ関白」となる。

ジョブズの関白ぶりは、相手を選ばない。

アメリカの企業は広報活動を外部委託することが多い。成長企業にはPR専門会社が売り込みに来る。ジョブズがアップルを追われてつくった会社ネクストで広報を請け負っていたPR専門会社が、ジョブズが買収したCG（コンピュータ・グラフィックス）映画制作会社ピクサーにも売り込みに来た。ジョブズは、彼らが自社の能力と業績を説明しようと言葉を発する前に、いきなり直球をぶつけた。

「君たちにはムリだよ」

PR会社の幹部たちは、ジョブズの性格を知っているので、驚きながらもしかたなく黙っていた。その静寂を、入社したての若い女性が破った。言うべきことをちゃんと主張したのだ。勇気ある行動である。

だが、それが間違っていたことをすぐに知らされる。

「私にはなにを言ってもムダだ！」

彼女の頬を涙が伝って落ちるまで、関白ジョブズは彼女を怒鳴り続けていた。

ドタキャンだって平然とやる。

有名誌の編集長だったスチュワート・アルソップは、コンピュータ業界のお偉いさんたちを招く大イベント「アジェンダ」のコーディネーターである。リゾート地フェニックスの素敵なホテルで、泊まりがけで催され、ＶＩＰぞろいの参加者は、社交性と将来性と事業性をミックスした貴重な数日間を過ごす。参加希望者はひきもきらない。特に、最終日の最終スピーカーはもっとも栄誉があり、だれもが望んだ。

アルソップは、ジョブズに大任を任せることにした。

条件は、初日からホテルに入り、最終日まで滞在することだった。ジョブズは了解した。イベント数日前に、ジョブズ側からフェニックスの航空便スケジュールを教えてほしいと連絡があった。アルソップは不吉な予感にとらわれた。つぎの日、ジョブズ到着はスピーチ前日になると連絡があった。予感は暗雲に包まれてくる。そしてスピーチ前日、今度はステージに上がる直前着になるので、ホテルに近いプライベート空港の場所を聞いてきた。アルソップの不吉な予感は的中した。

結局、VIPひしめく大イベントの最終スピーチを関白ジョブズはドタキャンしたのだ。

◎──気難しさは戦略になる

なぜジョブズはマスコミに傲慢なのか。三つの理由が考えられる。

①ジョブズの性格

自分が主役でなければ気がすまない。すべてをコントロールしないと我慢ならない。よく言えばリーダーシップにあふれ、悪く言えば自己中心的な性格のためだ。

②マスコミの無責任さ

マスコミは記録力はあるが、記憶力はない。簡単に手のひらを返す。ジョブズは、若き日にはアップルの成功で「時代の寵児《ちょうじ》」ともてはやされた。しかし、アップルを追われ、設立したネクストが不振になると「凋落《ちょうらく》した偶像」と失敗ばかり書き立てられた。『トイ・ストーリー』がヒットし、ピクサーの株式公開で成功し、アップルに返り咲くころには、再び手のひらを返して、礼賛の記事があふれた。

「マスコミは自分の願った通りには報道してくれない」と悟り、ジョブズはマスコミと距離を置いたのだ。特に、プライベートな質問には答えることさえしない。「これ以上近づくな」とバリアを張っているかのようである。

それでもマスコミはジョブズを追いかける。ベールに包まれた不思議な魅力があるのだ。近づいては蹴飛ばされ、離れては近づく。ある女性が、これをうまく表現している。

「ジョブズはチョコレートのようなもの。私にとってよくないことはわかっている。でも、とっても好きなの。だから家の真ん中には置かないようにするの。私はジョブズのまわりにいることが好き、それは彼が世界の中心的存在だから」

ほどよい距離を保って接すると強く惹きつけられる不思議な人物がジョブズといえる。

③宣伝戦略

思い通りにならないものをなんとか思い通りにするのがジョブズ流だ。彼は、マスコミとの対応の仕方を強力な武器にしている。

気難しさは、不利なように見えて、案外そうではない。気むずかしさに辟易《へきえき》する記者がいる一方で、バリアを超えて信頼関係を築けた少数の記者はどうなるか。無意識的にジョブズの忠実な報道官となる。彼らが発信する情報は精度が高く、かつジョブズに不都合な内容は含まれない。すべてのマスコミと等距離でつき合うより、自分の意志を反映できる一握りの信頼できる記者をつくるのは宣伝戦略であろう。

今のジョブズには、iPod、ピクサーなどの魅力的なブランドと、アップルの膨大な広告宣伝費がある。関係を悪化させたいと思うマスコミはほとんどないはずだ。

マスコミに対しては神のように振る舞う。それは、だれに対しても、なにごとにおいても主導権を握りたいジョブズの戦略なのだ。ちなみに、アップルの広告のほとんどを、ジョブズ自身が直接、選定している。

＊

松下電器産業創立者で「経営の神様」といわれる松下幸之助も、マスコミを上手に活用した経営者だった。まだ町工場にすぎなかったころ、初めての新聞広告「買って安心、使って徳用、ナショナルランプ」を考えたのが幸之助自身だ。このコピーは注目を浴び、松下電器は、以降も大衆向けにユニークなメッセージを連発していく。

ソニー創立者の盛田昭夫《もりたあきお》も大衆伝達を重視した。「営業とは価値を売るものだ。価値を説明しなければお客さんは買ってくれない」と言って、世間で認知されていなかったテープレコーダーの取扱説明書の原稿にまで目を通していたという。

無口は一種の武器である

◎――なぜアップルに「秘密警察」ができたのか

アップルが業績不振にあえいだ理由の一つに、社内情報の管理不足がある。社員しか知らない情報が、簡単に漏れるのである。「今度の新製品は二月一五日に発売される」とか、「開発中のシステムボードに問題が見つかってスケジュールが半年遅れる」などの重要情報が、ほとんどリアルタイムで新聞やインターネットを飾る。

情報のリーク（漏洩《ろうえい》）は、アップル設立以来の社風であった。西海岸のある新聞などは、アップルのリーク情報で成り立っていると皮肉を言われるほどだった。アップルの歴代CEOは、みんな手を焼いたものだ。

こんなことがあった。CEOのギル・アメリオが「自分が大手企業をいかに再生してきたかをまとめれば、ビジネスのいい教訓になる」と考え、データを集めるよう指示を出した。これが気に入らなかったアップル広報部は、そのことを、ビジネスウィーク誌にリークしてしまう。トップの恥になる記事を書かせることで、自分の存在価値を認めさせようとするのだった。

仲のよい記者に、アップルにダメージを与える危険性のある情報を流して記事にさせ、プロジェクトをつぶしたり、特定の人物に恥をかかせたりする。管理職から若い社員まで、こうした手法を身につけていたのだから、たまったものではない。

ところで、アップルには、定年まで勤めようという社員はいない。四、五年も勤めれば、あとは自分で会社を起こすか、ほかのハイテク企業に高給で引き抜かれるのが平均的だった。アップルを辞めるときには、社員全員に「Good-by mail」（さよならメール）を送る人もいた。社内のゴシップ集や、本人たちには重要だが第三者にはくだらない上司とのいさかいを客観的に分析したＡ４用紙数枚ものレポートなど、「なんでこんなに文才があるのか」と感心させる文章ばかりだった。Good-by mail があまりにおもしろいので、ある社員が知り合いの雑誌社に送ったところ「全部集めれば本になる。ベストセラーになるかも」と言われたそうだ。

それぐらい、よい意味でオープンだった。

そのオープンな風土に復帰したとき、スティーブ・ジョブズは四〇代になっていた。すでに、マスコミを巧みに利用はするが、信用はしなくなっていた。気に入ることだけ書いてくれるマスコミなら、そのときだけは好きである。しかし、一度よいことを書いたからといって、その記者に優しく接し続けたりはしない。

マスコミと距離を置くようになった彼には、設立以来のアップル社員の勝手な行動も、情報漏洩体質も、我慢がならなかった。アメリオに代わって暫定CEOとなったジョブズが最初に手がけたのは、旧ソ連の秘密警察KGB並みの情報統制であった。マスコミと話をしてはいけない。内部情報を漏らしたら即解雇するという厳しい管理だった。

◎——ジョブズの情報ルール

つぎにジョブズは、アップル再生の新キャンペーンを始めた。「Think different」(発想を変えよう)だ。今までと違った斬新なことを考え、あっと言わせる。「歴代CEOはみんな間抜けさ。オレが帰ってきたからには、これまでと全然違ったことをやるんだ」というジョブズの自己過信的な本音がたっぷり染み込んでもいた。

ただし、このキャッチフレーズは文法的に正しくない。different ではなく differently

が普通だ。だが、ジョブズには文法など重要ではなかった。フレーズの最後が、-ly なんかで終わっていたら、インパクトがないからだ。

ジョブズは社員を集め、アップル最大級のキャンペーン Think different のスタートを祝う野外パーティを開いた。席上、アップルの広告に対する Think different を力説した。イメージや基本姿勢を示すことで、年間一億ドル（約一一五億円）の広告費もかすむほどの巨大な利益を上げるのだと社員を鼓舞した。

この日はじめてジョブズと間近で接した一人の女性エンジニアは深く感銘し、いかにすばらしいスピーチだったかを興奮しながら友人にメールした。

オープンな風土の中で、これまで何度も普通にやってきたことだった。だが、今回は、体験したことのない恐怖が彼女を待ち構えていた。

原因は二つあった。

一つは、アップルのCEOがジョブズに替わっていたことだ。

もう一つは、メールの相手がソフトウェア企業家のデイブ・ワイナーであったことだ。

彼は「デイブネット」というメールマガジンを、業界でもっとも影響力のある数百人の読者に配信していた。配信先にはビル・ゲイツや、デルコンピュータ創業者マイケル・デルも含まれていた。そこに、その日ジョブズが社内向けに話した内容がまるまる載ったのだから、たまったものではない。

翌日、その女性エンジニアは、ある重要人物からの留守番電話を聞く。

「ハイ、スティーブです。話したいことがあるんだけど」

CEOからこんな留守電をもらったら、だれだって平穏ではいられない。その晩さすがによく眠れないまま、翌朝、ジョブズのオフィスに行くと、一枚の紙を見せられた。デイブ宛に出したメールのコピーだった。KGB的猜疑心から社員を見張っていたジョブズの監視ソフトの網にかかったのだった。ジョブズは静かに尋ねた。

「これがいったいなんなのか、教えてくれるかい」

「私はあなたの話に元気づけられて、ただ、それを友人に知らせたかっただけなんです」

と女性エンジニアは凍りつきながら答えた。彼女にはリークしてやろうという悪意があったわけではない。しかし、ジョブズにとって、自分が社内向けに話した内容、それも広報戦略に関わる重要情報が社外に持ち出され、よりによってビル・ゲイツまでもが目にするのは許しがたいことだった。

ただし、女性エンジニアには、一つの幸運が残っていた。それは、彼女が「クイックタイム」というアップルの最重要ソフトウェアプロジェクトのメンバーだったことだ。幸いにして解雇には至らなかった。

このようなショック療法ともいえる厳しさをジョブズは社員に突きつける。広報の同席なしにマスコミ関係者と話してはいけない。これがアップルの新しいルールとなった。

◎――情報にも「小出しはダメ」が当てはまる

四〇代となったジョブズは、社内情報が漏れることがどんな結果をもたらすかをわかっていた。創業以来リーク体質にどっぷりつかっていたアップルに、ジョブズは復帰してきた一九九七年から、規律を持ち込んだ。

情報管理が行き届かず、マル秘情報からゴシップに至るまで漏れている状態では、企業として戦う前から負けているようなものだ。アップル追放中のジョブズが、ディズニーのマイケル・アイズナーや、アップルのギル・アメリオと対等以上に交渉できたのは、自分の会社であるピクサーやネクストの厳しい経営状況を決して悟られることなく交渉ができたからだ。

経営情報はきちんと外に出すことが必要だが、あくまでも正規ルートを通さなければならない。情報漏れは内部結束を弱め、企業を弱体化させて敵を利する。

その後ジョブズは、子羊を狼から隠すように、新製品パソコンｉＭａｃや、ｉＰｏｄ、そしてｉＰｈｏｎｅの情報を、関係部署以外に漏れないよう徹底的に管理した。

ダムに貯めた水量が多ければ多いほど、放水時の勢いは増す。絞りきった情報統制のあとの製品発表会は、爆発的な大反響を巻き起こした。ジョブズの考えるビジョンに向かって、全社が一心不乱に突き進めるようになっていく。

＊

カルロス・ゴーンは、日産自動車再建のために新社長として乗り込んできた当初、マスコミに頻繁に登場し、再建策をアピールしていた。ほかの幹部が出ることはまずなかった。その理由を「経営危機に瀕し、再建は可能かとみんなが見守っているときは、責任あるトップが、ぶれることなく方針を説明することが大切だ」と言っている。

トップ以外がしゃべり出すと情報が錯綜《さくそう》し、現場が混乱してしまうということだ。

企業に透明性が求められる現代だが、規律なしに雑多な情報がたれ流されるようでは、企業活力が低下していく。だれが、いつ、どのような形で、どんな情報を出すかのルールを決める。それが情報戦略である。

2章

弱い味方は潜在的な敵方である

――ジョブズの「非情」vs凡人の温情

「和」では勝てない、勝ってこそ和せる

◎——反省より反撃に徹するのがジョブズ流

その日、アップル暫定CEOスティーブ・ジョブズは、宿敵マイクロソフトのビル・ゲイツに、直接電話を入れた。アップルが持つ知的財産を、こともあろうにマイクロソフトに譲ろうという交渉のためだった。一九九七年のことである。

それは長年、ゲイツがほしくてたまらなかった知的財産だった。話はまとまり、ジョブズは、マイクロソフトからアップルへ一億五〇〇〇万ドル（一七三億円）の投資を引き出した。さらに、マッキントッシュパソコン用の「マイクロソフト・オフィス」の販売と、アップデート継続の約束もとりつけた。

市場のシェアを見れば、アップルは、マイクロソフトを敵にではなく味方にしなければどうにもならない状態だった。だが、その窮地を救うためとはいえ、たたきつぶしたいと

執念を燃やしたビル・ゲイツと、CEOみずからが躊躇《ちゅうちょ》なく手を組むのは、異様な光景である。

行動の背景には、紆余曲折《うよきょくせつ》の歴史があった。

一九八五年に、ジョブズは自分が創業したアップルを追われてしまっている。それも、自分が見込んでペプシコーラから引き抜き、CEOにすえたジョン・スカリーによってだ。

それに先だって、アップルの共同創立者でエレクトロニクスの魔術師といわれたスティーブ・ウォズニアックが、まず会社を去った。アップルの製品と企業風土に多大な影響を与え、人望も厚い人物だった。

ジョブズとウォズニアックの二人は、一九八四年にはアメリカの技術革新への貢献が認められ、当時のロナルド・レーガン大統領からナショナル・テクノロジー・メダルを授与されるためにワシントンに出かけている。だが、このときすでに、二人の関係は修復不可能なところまで壊れていた。

理由はジョブズにある。

たとえば、一九八〇年にアップルが株式公開をしたとき、二五歳のジョブズは、ともに苦労してきた社員たちに、ストックオプション（自社株購入権）を与えなかった。アップルのような伸び盛りの会社でのストックオプションは、莫大な利益を社員個人にもたらす。だから、ジョブズの身勝手で不公平なやり方に批判が噴出した。

ストックオプションをもらえなかった社員たちを気の毒に思った心優しいウォズニアックは、自分の株を彼らに分け与えた。ところが、これを見たジョブズは、こう言い捨てたのである。

「ウォズニアックは、間違った連中に株を与えた」

創業以来、ムチャな要求に応えて、長時間、身を粉にして働いてきた社員の何人もが、不満のあまり退職したのも当然である。

また、ウォズニアックは、みずからがつくり出し、当時アップルのほとんどすべての利益をたたき出していたパソコン「アップルII」に対するジョブズの態度にも、強い疑問を感じていた。社内的な支援がまるでないのだ。感謝さえない。株主総会でもアップルIIの功績をほめない。それどころか、ふれようともしない。

闘争的な人ほど身内にはひどく優しい、という人間の一つのパターンがあるが、ジョブズにはまったく該当《がいとう》しない。

ジョブズの経営姿勢に深く失望し、ウォズニアックはついに退社する。彼の技術的才能と人間的器量を慕う社員はきわめて多く、創業以来といっていいほど大きなショックが社内を覆う。

ここで普通の経営者なら、ハッとわれに返って「自分はなんてことをしてたんだ」と反省するのだが、それは凡人の発想でしかないのだろう。若きジョブズは、ウォズニアックの退社について、こう言って終わりだった。

「このところ、ウォズニアックは大したことをしていなかった」

◎──「みんなで」は自信をつくらない

こうした姿勢は、一九九五年にピクサーの株式公開をしたときにもまったく変わっていない。

ピクサーは、アップルを追われたジョブズが、一九八六年に映画監督のジョージ・ルーカスから買った会社である。のちに、『トイ・ストーリー』『バグズ・ライフ』『ファインディング・ニモ』といったメガヒットを連発して莫大な利益を出し、超優良企業にのし上がる。

しかし、ピクサーのもともとの創始者であるエド・キャットムルなど一部の人間を除けば、ほとんどの社員はストックオプションの恩恵に浴することはなかった。

ジョブズにとって、創業の苦労をともにしたということは、さしたる価値を持っていない。苦労や忠誠に手厚く応える考えはないようだ。こう言ってのける。

「ストックオプションの栄誉に浴することができる社員と、そうでない社員がいる。創業時からいるからといって、全員もらえるわけではない」

みんなで働いて上げた利益なのに、それを分け与えるか与えないかは、トップである自分が独裁的に決めるというのだ。そんな理屈がまかり通れば、ベンチャー企業で一旗上げようという技術者はいなくなるだろう。普通の考え方ではない。

それでも、ジョブズはこともなげに言う。

「過去をなつかしんで見る暇があったら、未来を見る」

ジョブズにとって、過去は忘れ去るべきものでしかないようだ。だから、受けた恩にも感謝しない。恩知らずと言っていいほど情実無用だ。だからこそ、しがらみによって判断が鈍ることがなかったともいえる。目的達成のためには、たとえ宿命のライバルであるビル・ゲイツとでも、平気で手を結ぶことができるのである。

恩義を忘れる一方で敵とは握手を交わすという驚愕《きょうがく》の行動は、アップルのファンから轟々《ごうごう》たる非難を受けたが、ジョブズは気にもとめなかった。生み育てたアップルが、自分が不在の間に、パソコン市場の片隅に追いやられている。この会社を短期再生するためには、市場を牛耳《ぎゅうじ》っているマイクロソフトと提携するのが唯一の策だったのだ。

＊

企業がなにかを変えていこうとするとき、意外に大きな障害になるのが、過去のしがらみだ。「創業者同士が不仲だったから取引できない」とか「昔、商売を横取りした相手とは提携できない」といった次元で頓挫《とんざ》し、ビジネスチャンスをみすみす失なってしまう例が多すぎる。

ジョブズは、受けた恩に対して感謝などまったくしない。日本的に言えば、恩知らずの人間だ。だが、だからこそ、過去のしがらみによって判断が鈍ることがなかった。目的達成のためには、たとえ毛嫌いしているビル・ゲイツとでも、平気で手を結ぶことができたのである。

すなわち、いいリーダーの条件は、過去のしがらみに左右されないことだ。もしこのときマイクロソフトからの資金提供がなければ、アップルは、ｉＰｏｄを誕生させる以前に息絶えていたかもしれない。

味方を信じすぎると打つ手が限られる

◎――最大の味方は最悪の敵にもなる

未来を見ることに情熱を傾けるジョブズは、ほんの少し前の恩義さえ忘れてしまう。

ギル・アメリオの例が最たるものだろう。

ジョブズが四一歳にしてアップルへ念願のカムバックを果たすことができたのは、ひとえに、一九九六年からアップルCEOになっていたアメリオのおかげだった。

ジョブズはアップルを追われた一九八五年に、持っていたアップルの株式六五〇万株を売却した金で、ネクストという会社を設立していた。

ただし赤字続きだった。

アメリオは、ネクストがつくったOS「ネクストステップ」を、次世代アップルマシンのソフトウェアとして採用すると決める。同時にネクストを買収し、ジョブズの復帰まで認めてくれたのだ。現金三億七七五〇万ドル（約四三四億円）のほかに、アップルの株式一五〇万株を贈るという破格の待遇だ。「特任顧問」の肩書きさえ用意してくれた。

だが、ジョブズは、足を向けて寝られないほどのこの巨大な恩義を、あっさり無視する。それどころか、恩人アメリオをみずからの手で失脚させていくのだ。

アメリオは、巨大メーカーのロックウェル・インターナショナルの半導体部門で業績を上げ、さらに巨額赤字で苦しんでいたアメリカの半導体老舗《しにせ》企業ナショナル・セミコンダクターのCEOに四〇代で迎えられる。再建を成功させ、三年後には最高益をたたき出して経済界の注目を浴びていた。

業績不振に直面していたアップルの取締役会は、何人かのCEO候補をリストアップし、その中からアメリオを選び出した。そして、三〇〇万ドル（約三億円）の年俸と、五〇〇万ドル（約五億円）のローンに自家用ジェット機までつける格別の条件を示して迎えた。

アメリオは、ふくれ上がった在庫を圧縮し、大規模な人員整理に手をつけた。さらに新しいもの大好きのアップルならではの重複して数百にも及んでいた大量の新製品開発プロジェクトを一気に削減する。

これらの果敢な処置で、財務体質は確実に改善されていった。

ただ、このやり方を、社員は好意的に見たわけではなかった。

アップルの社員は個性豊かである。上司の命令だからといって素直に言うことを聞く日本のサラリーマンとは正反対だ。腕に自信のある技術者であればあるほど自己主張が強い。上司の命令はしばしば無視され、棚上げにされ、ホコリをかぶる。

その個性の強い連中を猛獣使いのごとく扱える手腕が、アップルCEOには必要だった。この猛獣たちは世界で一番獰猛《どうもう》な種類であったため、アメリオがナショナル・セミコンダクターでやったマネジメントスタイルさえ、簡単には通用しなかった。中止したはずの新製品プロジェクトが、気がつけばどんどん進行していたということもあった。

それでもアメリオは猛獣たちの調教に挑んだ。

つぎに手を打ったのはOS戦略の見直しであった。ネクストがつくったOSを採用し、さらには赤字のネクストそのものを買収したのは、その一環だったのである。

ビジネスの修羅場をくぐり、数々の赤字企業を再建させた優秀な経営者アメリオも、この決断がのちにみずからの足を引っ張ることになろうとはさすがに思ってもいなかった。

彼はネクストの買収と並行して、ジョブズのアップルへの復帰を話し合った。新たなOSを手に入れた上、アップルのカリスマだったジョブズも手に入れて経営を上向かせるのだと、アメリオは楽観的に考えていた。

しかし、ジョブズは試合巧者である。

経営が苦しかったネクストを高額で買ってもらい、ジョブズは腰が抜けるほど安堵《あんど》したはずだ。アップルに特任顧問として復帰ができたことは、さらに無上の喜びだった。だが、ジョブズは決して自分を安売りしなかった。彼はアメリオの手の内を読んでいた。だから、こう素っ気ない態度をとった。

「私はアップルに戻りたいなんて思ってもないんだよ」

相手がじれて、折れるのを待ったのである。試合は、ジョブズの完勝であった。復帰の破格な待遇を見ればそれがわかる。

◎──「年俸一ドル」の舞台裏

一九九六年に特任顧問としてアップル復帰を果たしたジョブズは、アメリオの追い落としに、狡猾《こうかつ》に手を打っていった。

まず、復帰後、間もなく、買収されたネクストの有能なやり手たちが、アップルのハードウェア部門やソフト部門の重要なポストに、つぎつぎと就いていく。

さらに、マスコミも利用した。

アメリオの数々のリストラ策は、きちんと内容を見れば、在庫圧縮やキャッシュフローの改善、開発費用の削減と、効果を上げていた。だが、シリコンバレーの記者にとっては、それらは記事にするには地味すぎた。かえって、地味で堅実な経営に対する疑問符を書きたてた。世間体と株価を気にする取締役たちは動揺する。

その流れを利用して、ジョブズは、アップルの取締役でデュポン会長を兼務するエド・ウラードに狙いを定めて接近し、巧みに味方につけた。アメリオが取締役に招聘《しょうへい》し、取締役会の中心的な人物となっていたウラードに「アメリオはアップルの業績を向上させていないじゃないか」と吹き込んだのだ。アメリオではアップルの経営はできない、と抱き込み、裏切らせたのだ。

クーデターは成功した。追い詰められたアメリオは、一九九七年にアップルを退社する。取締役会はついに、ジョブズにアップルCEO就任を要請する。すぐあとで、自分たちの多くがジョブズによって辞任させられることも知らずに。

さらにジョブズは、年俸をたった一ドルとした。取締役会からの高額な年俸オファーを蹴ったのだ。ジョブズは給料などなくとも生活できる。マスコミの話題をさらうことが目的だった。「お金が目的でCEOをやってるんじゃないぞ。自分がつくった会社の危機を純粋に救いたいのだ」と世間に思わせるための錦の御旗《みはた》である。その旗は、ジョブズが両刃《もろは》のリーダーシップを強引に振り回すときに必ず起こる逆風を防ぎ、相手をひれ伏せさせるにもってこいだった。

彼はさらに「暫定」という冠《かんむり》をCEOの前につけてみせた。

「暫定CEO」という新奇な役職名は「ずっとアップルでCEOをやるんじゃないよ。適任者が見つかるまでのつなぎだよ」という爽やかな救世主ぶりをアピールするものだった。それは「ジョブズはアップルを乗っ取るんじゃないか」という冷静な人たちの懸念をやわらげる効果も持っていた。そんなことは知る由もない普通のアップルファンは、ジョブズの返り咲きを熱狂的に歓迎した。

◎——表舞台に立つから立役者なのだ

暫定CEOに就任して五カ月後の一九九八年にサンフランシスコで開かれた「マックワールド」は、ジョブズの世界となった。

基調演説をいつものように拍手喝采《かっさい》で終えたジョブズが、聴衆に背を向けてステージから立ち去ろうとしたときだった。思い出したかのようにジョブズは、もう一度聴衆のほうを振り向いて、ステージ中央のマイクに近づいて、さりげなくこう言った。

「もうちょっとで忘れるところだったよ。……利益が出たんだ」

一瞬の間をおいて、会場は歓喜の渦に包まれた。救世主を最大限の拍手で賞賛した。

ジョブズが復帰してわずか数カ月で、危機にあったアップルはみごとに立ち直った。そう世間は感嘆した。アップルはアップルらしさを取り戻しつつあると多くの人が思った。

しかし、舞台裏はむろん異なる。

危機的状況にあった企業が、たかがトップの交替によって、ほんの数カ月で復活するはずがない。本当の立役者は、在任中に財務を改善した前CEOギル・アメリオなのだ。彼のまいた種《たね》が芽を出そうとした絶妙のタイミングに、ジョブズがCEOを引き継いだだけのことである。

しかしジョブズはすべての功績を自分一人の手に握り込み、「これはギルのおかげなんだよ」などとは一言も言わない。みんなの目の前にいるジョブズこそがアップル再生を可能にした救世主なのだと表舞台に立ち、すべての賞賛を独り占めした。

内に外に、ジョブズは手をゆるめない。

自分のやりやすい体制を築くために、立場を最大限に活用した。アメリオ退任に力を尽くしてくれた取締役たちに退陣を迫り、結局、大半を辞任に追い込んでしまうのだ。かつて、できたばかりのアップルに出資した人物で、会長まで務めて長年貢献してきたマイク・マークラまでもが、このときジョブズのもとを去った。

＊

私たちは、義理と人情がいまだに大好きだ。歌にも小説にも、現代のテレビドラマにさえ、情がらみの表現があふれる。「インフォメーション」を訳すと「情報」だが、これを分解すると「情に報いる」となり、ここでも情が出てくる。

しかし、情に報いようなどと思っているうちは、熾烈《しれつ》な戦いには勝てない。たとえば豊臣秀吉は、主君の織田信長が本能寺の変で倒れたあと、いわばかつての上司で恩義のある柴田勝家を打ち滅ぼすことで、天下取りの大きな一歩を進めた。

まして戦いの舞台が世界となれば、情に報いるなどなおさら無用の長物といえないだろうか。グローバルなビジネス戦争では、恩を恩とも思わない冷徹さが要求される。重大な局面では、なおさら「恩義があるから」という理由に引きずられての判断ミスを、決しておかしてはならない。

「いい人」は結局は負けていく

◎──人の功を自分の功に盗む法

スティーブ・ジョブズのこういった恩知らずの振る舞いは、われわれには受け入れがたい。いや、彼の神経は、図太いアメリカ人でも引いてしまうほど規格外なのだ。ジョブズは常に「いいことは自分の手柄に、悪いことは他人のせいに」なのだからしかたがない。

たとえばアップル創業前を見てみよう。

一〇代だったジョブズは、アーケードゲーム（業務用ゲーム機）の概念をつくったことで有名な会社アタリに勤めていた。その創業者ノーラン・ブッシュネルから「ブレイクアウト」というゲームの設計を命じられた。「使うIC（集積回路）の数を少なくすることに成功すればボーナスを出そう」と言われ、ジョブズは四八時間で完成させ、一〇〇〇ドルのボーナスを手にしている。

世間ではジョブズの功績になっているが、実際に設計したのは、アップルの共同創立者となるスティーブ・ウォズニアックだった。ジョブズの役は、彼にキャンディやコークを買ってくるくらいだったという。しかも「折半しよう」と言いながら「ボーナスは六〇〇ドルだった」と嘘をついて七〇〇ドルを取り、ウォズニアックには三〇〇ドルしか渡さなかった。友人に対してなんという仕打ちだろうか。

だが、こんなことは彼にとってはなんでもないことだ。

アップルで、ジョブズに新しいアイデアを認めさせようと思ったら、こうすればよいという話がある。ただしリスクつきだ。

①まずジョブズにアイデアを話す

するとジョブズは「いいなあ」と思っても、その場では必ず「ダメだ」とけなして去る。

②数週間後を待つ

だが、数週間後、ジョブズはみんなのもとにやってきて、そのアイデアを自分が考え出したかのように平然と「すごいことを思いついたぞ」と言って話し出す。

こうして数週間前にダメだったはずのアイデアは、ジョブズのものとなっている。もともとの発案者は、彼に命じられてアイデアの実現にとりかかることになる。

こういったエピソードにはこと欠かない。

もともとだれが考えたかなど、ジョブズには関係ない。「そのアイデアのよさに気づいたのは自分なんだ」「それを現実のものにできるのは自分だけなんだ」というわけだ。

◎——裏切るときは「いきなり」がいい

他人のアイデアや手柄を平気で自分のものにしてしまう一方で、少しでも都合の悪いことには、とことん関係ない素振りをするのも得意だった。

一九八一年、創業四年がたったアップルは、社員数も増え、やや水ぶくれ状態にあった。解雇された社員はなく、アップル入社は終身雇用を意味すると考えられるようになって、社員の志気はゆるんでいた。経営は苦しくなり、初代社長のマイク・スコット（通称スコッティ）は、一つの決断をせざるを得なくなった。

アップル初のレイオフ（一時解雇）である。

スコッティは、アップルへの有力出資者マイク・マークラがかつて勤務していた会社フェアチャイルドで管理職として働き、アップル入社前には半導体メーカーのナショナル・セミコンダクターにいた。できたばかりのアップルには経験豊かな経営者が必要だとマークラは考え、彼に声をかけたのだった。

スコッティはストレートにものを言い、強気でものごとに対処するタイプで、ジョブズとは経営上のいろんなことでぶつかっていた。レイオフは彼の苦渋の決断であるが、もちろん、ジョブズとマークラの事前の了解は得ている。

スコッティは、二月のある雨の水曜日、社員全員を地下駐車場に集め、「何人かの社員に辞めてもらう。辞めてもらう人には、あとでオフィスに来てもらう」と告げた。

みんなが大きなショックを受けた。この日を社内で「ブラック・ウェンズデー」と呼ぶようになったことからも、ショックの大きさがわかる。

その雰囲気を察知した二六歳のジョブズは、いきなり裏切った。事前に同意していたにもかかわらず、自分はレイオフとは関係なく、スコッティが勝手にやったかのように振舞ったのだ。社員からの反感をスコッティ一人に集中させたのである。

その結果、スコッティを悲劇が襲うことになった。

アップル社内でスコッティへの反感が強まり、三月末に彼が休暇から戻ると、幹部が社長解任を告げるに至ったのだ。新社長には、苦肉の策でマークラが就任した。

ことあるごとに小さな対立を繰り返していたジョブズにとって、スコッティの辞任は待ち望んでいたものだった。とはいえ、実力者で創業者でもある自分が承認したレイオフの責任を社長一人に押しつけた変わり身は、あざといほどだ。辞任にまで追い込んで涼しい顔でいるのだから、すごい神経だ。

◎――レッテルさえあれば物語は世間がつくる

一九八五年のネクスト設立においても、スティーブ・ジョブズの身勝手さは、改まるどころか、さらに強くなっていく。

ジョブズは自分のメガネにかなう五人を、アップルからネクストに連れて行った。そして、アップルではできなかった高性能コンピュータをつくる計画を進める。

実は、この計画は、ジョブズがアップル会長だったときに進められていたものだ。しかもジョブズはアップルを去る直前に、取締役会でこう断言して、みんなを安心させている。

「新しい会社をつくるが、アップルから技術やアイデアをもらうつもりはない。アップルから数人は連れて行くが、業務や、今手がけている製品に支障をきたすほどのメンバーではない。いずれにしても辞めるつもりだった連中だけだ」

しかし、つぎの日、ジョブズから、新会社へ移るメンバーのリストを見せられたアップルCEOジョン・スカリーは「取締役会はだまされた」と衝撃を受けた。

新会社へ行くのは、アップルの重要な仕事には関わっていない低レベルのメンバーだと信じていたスカリーにも、やっとジョブズの本心がわかったのだ。リストには、アップル技術者の最高の名誉「アップルフェロー」であるリック・ペイジが入っていた。ソフトウェア開発マネジャーのダニエル・ルインも入っていたし、アップルがもっとも強いとされる教育市場のマーケティング責任者まで名を連ねていたのだった。

*

私たちはとかく「得」(手柄)と「徳」(人柄)の両方をほしがるものだ。しかし、それは願望にすぎない。手柄の立てられない好人物は役に立たない。ビジネスでは、まず手柄が最優先である。また、自分の手柄を他人に譲るのは美徳ではない。手柄に至るプロセスを知っているのは、近くの関係者だけであり、世間は知らないのだ。手柄のきらびやかさだけが世間の判断基準である。

強烈にかなえたいことには、他人の手柄を奪い取ってでもモノにする覚悟を持つべきだ。酷薄《こくはく》なようだが、人の評価は「なにをなし遂げたか」で決まる。なし遂げたことがすごければ、その人物は「よい人」とされ、世間が物語をつくってくれる。

先んじて「頭を砕く」テクニック

◎——「このことはだれにも言わないでほしい」

アップル社内を騒然とさせつつ、スティーブ・ジョブズの二つ目の会社ネクストは船出した。だが、歴史は寛容ではなく、ネクストは販売不振が続いた。新製品「ネクストキューブ」が失敗であったことも明らかだった。

だれかがその責任を取るときがきた。

ジョブズなのか？　そんなわけがない。マーケティング担当副社長ダニエル・ルインが、失敗の責任を一人で背負わされて去っていく。

さらに、販売不振で社内がぎくしゃくする中、マーケティングマネジャーのカレン・シプレルもネクストを去っていく。シプレルは、ジョブズが部下を怒鳴りつける防波堤となっていた。ジョブズは相手を傷つけることでやる気を引き出す手法を取り続けたが、だれにでも有効ではなく、かえってダメになる社員が多くなっていった。間に立ったシプレルだが、精根尽き果てたのだ。

こうした優秀な人材の流出は、ジョブズにとって腹立たしく、隠したいものだった。そこに起きたのが創業メンバーの一人で経理部門トップでもあるスーザン・バーンズの辞意表明だった。「経理担当としてできることはすべてやったものの、うまくいかなかった」と言い、二カ月後にはサンフランシスコの金融会社リチャード・ブラム&アソシエーツに移る予定であることも話した。

これはとても悪いニュースだった。できたばかりの会社から創業メンバーが抜けることは、なによりもつらい。経営不振説がささやかれ始めている中で、会社の評判はさらに落ち、ネクストコンピュータはますます売れなくなっていくのではないか。

そこでジョブズは「このことはだれにも言わないでほしい」とスーザンに頼んだ。そして、会社にダメージを与えないために「スーザンは小さな子供と過ごす時間を大切にしたいのでネクストを離れる決心をした」という公式発表をさせてほしいと言い出した。

アメリカのスポーツ選手などが引退でしばしば口にする表現だ。これならみんなが理解を示し、企業イメージのダウンは避けられる。

しかし、スーザンはジョブズの勝手な考えを受け入れなかった。彼女は新しい職場でも精力的に働くつもりであった。「母親として子供と過ごす時間をつくる」ために辞めるわけではなかったからだ。

しかもこのとき、スーザンがネクストを辞めることが、リチャード・ブラム&アソシエーツによって一方的に発表されてしまった。

前日まで下手に出ていたジョブズは豹変し、激怒した。ことのなりゆきを心配したスーザンは、ジョブズのオフィスに出向いて「会社は辞めるが、役員会のメンバーになる」と妥協的かつ現実的な申し出をした。

しかし、ジョブズの答えは「ノー」だった。

そして彼は、驚くべき行動をした。

申し出をした時点で、スーザンはまだネクストの経理責任者である。ところが「ノー」の返事を聞き、自分のオフィスに戻ると、ボイスメールも電子メールも機能しなくなっているではないか。スーザンがジョブズのオフィスを出た直後に、ジョブズがこれらを使えなくしたのだ。あまりに素早い。ジョブズにとって、スーザンはすでに存在しない人間となっていたのだ。

◎——「去る者は敵」と考えると？

スーザンに続いて、バド・ドリブルがネクストを去ることになった。

ネクスト創業メンバーの一人で、スーザンの夫である。そのため、もしどちらかがネクストを去ればもう一人が辞めるのも時間の問題だと考えられていたが、時期は意外に早く来てしまった。

バドは最初のマッキントッシュ・ソフトウェア・プロジェクトでリーダーを務めた男だ。ネクストに移る直前までアップルのソフトウェア開発部隊を率いていた。

バドは、ネクストの強みはソフトウェアにあると考えていたが、ジョブズは大のハードウェア好きである。「このままいても、自分が成功する見込みは少ない」と考えていた。

スーザンがネクストを去ったあと、バドは、サン・マイクロシステムズCEOのスコット・マクニーリに電話をかけた。サンはシリコンバレーで急成長を続けていて、バドの転職話は大歓迎だった。

ジョブズは、バドを強く慰留した。だが、バドは、「なにを言われても、私の気持ちは変わりません。サンへ行きます」と気持ちを変えなかった。

すると翌朝、バドがネクスト本社の技術部門ビルに入ろうとしたところ、自分のＩＤカードがすでに使えなくなっていた。バドもスーザン同様に、一瞬にしてジョブズには不要の人間になってしまったのだ。

人間関係のもつれや考え方の相違などで、会社を離れていく人がいるのは、普通の話だ。ジョブズの場合、必ず「去る者は自分への忠誠を破った人間である」としてしまうところが、普通ではない。去る人間の将来を案ずることはない。ばっさりと切り捨て、会社にそういう人間がいた痕跡《こんせき》さえ消す非情さがある。

だから、一九九七年に、暫定ＣＥＯでジョブズがアップルに復活してからの半年間は大変だった。幹部の大半が、ジョブズの専制君主ぶりに嫌気がさして去った。当時、こんなジョークが言われた。

「ジョブズが求めるものは、ＹＥＳ（はい）か、ＱＵＩＴ（辞める）かだ」

そこに「ＮＯ」（いいえ）はなかった。

◎――「あるべき姿」などどうでもいい！

経営者のあるべき姿は、いいことはできるだけ人に譲り、悪いこと、大変なことが起きたときは先頭で取り組むことだろう。

だが、ジョブズに関する限り、これは通用しない。

ピクサーがディズニーの協力を得て制作した初の長編CGアニメ『トイ・ストーリー』のときもそうだった。『トイ・ストーリー』は大ヒットし、ピクサーの株式公開でジョブズが莫大な富を得るきっかけにもなった作品だが、制作では、「アニメの天才」と言われたピクサーのジョン・ラセターが、すばらしい才能を発揮した。プロモーションでは、ディズニーが、観客をつかむ鋭い感覚で大ヒットに向けてこまかな指示を出していた。

ジョブズはなにをしていたか。ディズニーとの交渉で力を発揮したのは確かだが、その後は、出る幕はなかった。

にもかかわらず、ヒットの手柄はジョブズのものになったのだ。普通は「そんなバカな。つくったのはラセターだし、プロモーションをしたのはディズニーだろう」と考える。だが、いざ作品が完成し、高い評価を得るようになると、しゃしゃり出て脚光を浴びるのは必ずジョブズなのだ。

ディズニーは、『トイ・ストーリー』のプロモーション費用として一億ドル（約一一〇億円）の予算を組んだ。制作費用の三倍以上の驚くべき金額だ。ディズニーの底力にジョブズも度肝を抜かれた。

ニューヨークで開かれたディズニー主催の『トイ・ストーリー』プレミアショーにもジョブズは興奮した。ハリウッドの大スターが何台ものカメラに囲まれてつぎつぎと登場する。ニューヨーク市長など有力政治家の顔も見えた。すさまじい数の新聞記者からのインタビューとカメラのフラッシュは、シリコンバレーとは別の世界であった。ジョブズは、赤字続きだったピクサーの苦労が報われる日が来たと勝利を予感したという。

◎――隠せば世間は忘れる

だが、ここで「ディズニー様、万歳」とならないのがジョブズである。

ニューヨークでの大イベントの翌日、ジョブズはサンフランシスコの名門ホテルであるリージェンシーで、プレミアショーを主催した。

ショーは華やかで、シリコンバレーの友人や仕事の関係者ばかりでなく、インテルやオラクルといったハイテク産業界のＣＥＯたちも多数出席した。

そんな出席者を驚かせたのは、まずジョブズの服装だった。いつもの黒いＴシャツとスニーカーではなく、タキシードで現われたのだった。カジュアルというコンピュータオタクの制服にはおさらばして、新世界での成功を喜びたいかのようでもあった。

出席者がさらに驚いたのは、上映終了後の行動だった。シリコンバレーの重鎮たちの尊敬と羨望の視線を浴びてステージに上がったのは、ジョブズただ一人だったからだ。

彼一人が映画『トイ・ストーリー』をつくったのか？　最大の栄誉を与えられるべきジョン・ラセターはどこだ？　ラセターは舞台裏に引っ込んだままで、最後までステージに立つことはなかった。

まるで、サヨナラ逆転ホームランを打った四番打者をヒーローインタビューの壇上にあげず、VIP席で見ていた球団オーナーが出てきていばっているようなものだった。

ジョブズ流では、栄光に浴するのは自分でなければいけない。ためらってはいけない。自分のためにならないものは、情報でも人物でも表に出さない。隠し続ければ世間は忘れる。手柄はスティーブ・ジョブズのものになるのだ。

ちなみに、ピクサーでも、ジョブズは創立メンバーの一人アルビー・レイ・スミスを切り捨てている。そればかりか、ピクサーの歴史からもアルビーを抹殺している。

＊

なぜ人々は、ジョブズと仕事をしたがるのだろうか。ジョブズとなら「世にない、すごいモノ」を生み出せると期待するからだ。すごいモノを生む経験は、自分の能力を最大限に高めてくれる。だから能力に自信のある人ほど、ジョブズのとりこになる。腕に覚えのある剣豪が、宮本武蔵と立ち会いたいと願うことと似ている。

ただし、腕に覚えのない単なるサラリーマンでは、ジョブズと働くのは無理だ。たちまち切って捨てられるだろう。ジョブズは、鋭利な刃物のような切れ味の人間だから、敵をなぎ倒し、問題を解決する過程で、まわりの味方まで切り刻むことがしばしばである。よくも悪くも、これがジョブズ流だ。

ところで、ジョブズがこのままいけば、織田信長のように「本能寺の変」が待っているという人がいる。六〇歳のジョブズは、今と同様に鋭利な刃物のままなのか。それとも、ものわかりのよい熟年となっているのだろうか。ローリングストーンズのミック・ジャガーが六〇歳を超えてもバリバリの不良であるように、ジョブズも、いつまでも、とがったワンマン経営者であってほしいと思う。丸く穏やかになったジョブズは、もうジョブズではない。

3章

妥当な案より「不当な案」で交渉を動かせ

——ジョブズの「無謀」vs 凡人の無難

勝つことは自分の中の弱さを消すこと

◎――限界を感じたとき「プロの知恵」が始まる

「ノー」は受け取らない。「できない言いわけ」を聞く耳はない。そういうスティーブ・ジョブズの思考回路が、シリコンバレーでは、すごいものを生み出す力となる。

一九八一年、二六歳のジョブズは、アップルで「マッキントッシュ・プロジェクト」に全精力を傾けていた。当初のリーダーだったジェフ・ラスキンから権力と陰謀で取り上げたプロジェクトだ。

ラスキンは、カリフォルニア大学サンディエゴ校の教授をへてアップルに入った逸材だ。合理的ですぐれた頭脳の持ち主で、教え子には、アップルで数々の製品を開発した「プログラムの天才」ビル・アトキンソンなどが輩出している。ラスキンこそが長年にわたってアップルの主力商品となるパソコン「マッキントッシュ」を考案したのであった。

世界三大テノールのパバロッティは、楽譜が読めないが、人々を魅了する歌を歌える。同じようにジョブズは、プログラムの詳細はわからなくても、すごい技術をかぎ分ける本能を持っていた。ラスキンのチームが会社の片隅で少人数で開発していたマッキントッシュを見るなり、ジョブズはすごさを感じた。そしてまず「脅威だ」と受け止めた。彼は別の製品の責任者だったからだ。自分の製品をつぶされないように、ジョブズは、マッキントッシュ・プロジェクトの邪魔を始める。

ところがある日、その製品の責任者からはずされたとたんに「マッキントッシュがほしい」と変化する。プロジェクトの主導権を握るべく、ラスキンと権力闘争を始め、主導権を徐々に奪っていった。ほしいものは手に入れるジョブズの面目躍如《やくじょ》である。

マッキントッシュは、産みの親がラスキンで、育ての親がジョブズなのだが、ジョブズは、生みの親も自分に書き換えてしまい、世の多くの人はラスキンの名を忘れ去った。

さて、手に入れたマッキントッシュ・プロジェクトの当初の開発期間は、なんと一二カ月だった。不可能と断言できる日程だ。ジョブズだけが、そう考えなかった。彼は、不可能な要求を突きつけ、技術者たちの「ノー」が耳に達する前に消えてしまう戦術をとった。

ある日、若きジョブズは設計会議で、持っていた電話帳をいきなり机の上に放り投げた。

そして、マッキントッシュの大きさに注文をつけた。

「大きさはこれ。消費者に受け入れられる限度だ。これ以上大きくすることは許さない」

つぎに形にこだわった。

「ずんぐりした四角いコンピュータにはあきあきだ。横長じゃなく縦長にしたらどうだ」

技術者たちは唖然とするしかなかった。

当時の一番小さいコンピュータでさえ、電話帳の倍はある。半分の大きさで必要な機能を持たせるのは絶対不可能だ。そう反論したいところだったが、あいにくジョブズは言いたいことだけ言うと部屋から出て行ってしまった。「できるかどうか」という返事には、なんの興味も示さない。聞く気もなかった。

シリコンバレーの優秀な技術者たちは、ゼロから一を生み出すことにやりがいを感じる。無理難題を前にすると「絶対やってやろう」と奮い立ってくる。このチャレンジ精神は、無謀と希望のどちらにも転ぶ。「シリコンバレーには、できないことをやろうと挑戦した人たちの墓標が累々《るいるい》と立っている」と表現したジャーナリストもいたぐらいだ。

マッキントッシュチームもそうだ。非凡な技術者ほど、すごい能力を乱世で発揮する。ジョブズという乱世が限界を超えさせ、常識をくつがえす画期的なマシンの実現に全員が不眠不休で格闘した。縦長ケースがいくつも試作され、具体的なサイズが絞り込まれていく。拡張機能は最小限にされ、設計は詳細に落とし込まれていった。

そのとき、ＩＢＭがパソコンの新製品を発売した。チームは、さっそく分解して調べ上げた。結論は「でかくて、ダサい」。新しい技術はどこにもなく、なにより使いにくかった。自分たちがつくろうとしている斬新なマシンの足もとにも及ばない。マックが市場に出れば、ＩＢＭパソコンなんて簡単に蹴散らせる。チームはそう確信していた。

◎――全米で一番有名な広告

一九八三年五月、マッキントッシュ発売の日と決めていた日に、発売は実現しなかった。ジョブズは失望したが、すぐに立ち直り、新しい戦略を打ち出した。

ターゲットは、翌年一月に開催される全米最大のスポーツイベントであるフットボールの決勝戦「スーパーボウル」だ。視聴者数九〇〇〇万人以上のイベントの中継放送中に、一〇〇万ドル（約二億四〇〇〇万円）もの経費をかけた「一九八四」という広告を展開しようというのである。

アップルの社運を賭けた、そしてのちに語り継がれる広告だった。

広告は、小説家ジョージ・オーウェルの小説『一九八四』をモチーフにしていた。小説には、統制国家を支配する巨大権力者「ビッグブラザー」が登場する。人々は、ビッグブラザーにすべてを支配され、監視され、自由を奪われて洗脳されていく。

制作された一分間のCMは、暗示的な物語だった。

時代設定は不明。巨大スクリーンに映し出される独裁者ビッグブラザーの演説を、椅子に座らされ眺めている無気力な多くの囚人たち。突然そこに金髪の魅力的な一人の女性が走ってくる。追いかけてくる権力の手先たち。巨大スクリーンに映るビッグブラザーに駆け寄った女性は、大きなハンマーを投げつける。その瞬間、スクリーンは爆発し、閃光《せんこう》がほとばしる。自由の到来のイメージだ。そして「アップルコンピュータは、来たる一月にマッキントッシュを発売します」とナレーションが入って終わる。

独裁者ビッグブラザーはIBMである。大型コンピュータで世界を制覇し、パソコンの世界も支配しようと侵入してきた。それを食い止め自由をもたらすのがアップルだと強烈に暗示している。

映像は、映画『ブレードランナー』や『エイリアン』をつくった名匠リドリー・スコットが監督した。それまでのCMにはない斬新な発想とストーリー性に、視聴者はクギづけになる。巨大権力に立ち向かう小さな正義を、アメリカ人は大好きなのだ。

このCMがスーパーボウル中継の第三クォーターで放映されると、話題騒然となった。各テレビ局が、その日の夜のニュースで、何度もこのCMを放送した。テレビ局には問い合わせの電話が殺到し、調査会社によれば、全世帯の四六パーセントがこのCMを見たという。影響はテレビだけで終わらず、新聞や雑誌にアップルのCMが取り上げられた。広告業界の賞まで総なめにした。

マッキントッシュはこの上なく鮮烈にデビューしたのだった。

◎――奇跡を起こす言葉の魔法

ところがその間、マッキントッシュ開発現場では、製品発売を危うくする事件が起きていた。肝心のソフトウェアが間に合いそうもなかったのだ。

ソフトウェアチームが意を決してそれを電話でジョブズに告げる。さぞ烈火のごとく怒鳴り上げるかと思いきや、そうではなかった。チームの優秀さをたたえたのち、「やればできる」とだけ言って、電話を切ってしまった。

ジョブズ一流の「ほめ殺し」戦術とでもいえるだろう。

またも言いわけなど聞かなかった。

当時、ソフトウェアチームは無理に無理を重ねてぶっ倒れる寸前だった。それだけ頑張っても期日までに仕上げるのは難しい。だから覚悟を決めて報告したわけである。だが、ジョブズには「できない」という報告など聞く耳がなかった。多額の広告費を投入し、全米の話題をさらって、発売当日に未完成の商品が店頭に並ぶのか？　ソフトウェアチームの「ノー」を聞くはずがなかった。

そして、ここでも若きジョブズの無理をぶつけるやり方が、優秀で自尊心の高い技術者たちの士気を奮い立たせることになった。

アメリカ西海岸にあるシリコンバレー周辺には、スタンフォード大学やカリフォルニア大学バークレー校など全米有数の大学がある。そこを卒業し、「ＩＢＭなんて大企業なんかで働きたくないね」という自信満々で生意気なプログラマーたちがアップルに入ってきていた。規則ですべてが縛られ、会議ずくめのＩＢＭでなく、自由に夢を追い求められるアップルこそが、彼らの行くべき会社だった。

ジョブズは「期待している」と語りかけ、「君たちならできる」と言い続けた。

信じがたい努力の末、発売間近になって基本ソフトが奇跡のように動き始める。それでもつぎつぎと出現するバグ（プログラムの不具合）を見ては修正する気の遠くなる作業が残る。それもクリアした。

まさにぎりぎりのタイミングで量産用ソフトウェアが完成というゴールへなだれ込んだ。

◎――野望は無謀を可能にする

マッキントッシュチームをはじめとするアップルのメンバーに共通していたことがある。「アメリカ中がびっくりするコンピュータをつくりたい」「世界を変えるようなものをつくり上げるんだ」という野望である。「自分たちならできるんだ」という根拠もなく、無謀で、しかし強固な信念だ。

そこにはお金とか生活の安定といった現実面へのこだわりさえ入らなかった。だからこそ不眠不休で働き続けたのだ。

一九八四年一月二四日、ジョブズはアップルの株主総会で自信満々に、できあがったばかりのマッキントッシュを紹介した。注文は殺到し、発売後一〇〇日で、七万台もの販売を記録した。マッキントッシュはその後も、社内外の幾多の荒波を乗り越え、パワーマッキントッシュ、ｉＭａｃと進化しながらアップルを支え続けている。

ソニーや松下にも、ハードではなくｉＴＳ（アイチューンズ・ストア）のようなコンテンツ配信サービスをしたほうが総合的な事業になると考えたエンジニアはいたはずだ。だが、そんな現場の意見を理解する経営者が、両社にはいなかった。得意とするハードの領域を超えて、ワーナーなど音楽業界のややこしい連中との面倒な交渉に乗り出す情熱が、経営者になかったのである。

その面倒な交渉の場におもむき、音楽業界の常識の打破に踏み出したところに、ジョブズとｉＰｏｄの成功の一歩があった。

＊

世界で大ヒットしたウォークマンは、企画段階ではエンジニアや営業が大反対し、ボツになる寸前だった。「再生だけで録音ができないテープレコーダーなど売れるはずがない」と、新しいモノ好きのアメリカ・ソニーのスタッフまでノーを言うありさまだった。だが、経営者の盛田昭夫が「売れる。ほしいお客さんがたくさんいる」と確信し、「全責任を持つ」と言い切ったことで、成功への道を進むこととなった。

ボトムアップで上がった意見を幹部が吟味し、やっと社長が動き出すといったスローな経営では戦えない。トップの素早い判断と行動力が問われる局面が増えるだろう。

「必要なら」動け、「可能なら」ではない！

◎――「大切だがおもしろくない」仕事では人は動きにくい

一九八二年、マッキントッシュチームは、アップル本社があるカリフォルニア州クパチーノから一〇〇マイルほど南にあるバハロ・デューンズで合宿を行なった。九月末の二回目の合宿で、二七歳のスティーブ・ジョブズはホワイトボードにスローガンを書いた。

「海賊になろう」

「週九〇時間、喜んで働こう」

マッキントッシュチームを海賊に、自分を海賊の親分と考えたのだ。アップル中からよりすぐりの人材をさらって集めた。常識を超えたスピードでこの海賊船を走らせていく。

すでにメンバーはすさまじい仕事ぶりだったが、ジョブズはこのスローガンによって、さらにメンバーのやる気をかき立てた。建物には海賊旗が掲げられ、メンバーは「週九〇時間、喜んで働こう」と書いたTシャツを着た。こうして海賊船は、はるかかなたの目標へと驀進《ばくしん》していった。

ちなみにアップルは、プロジェクト名や製品マークの入ったTシャツやトレーナーをつくって士気を上げることを、類を見ないほどよくやる会社だ。そういう遊び心がある。私自身、「Mac OS」とか、ノートパソコンの「PowerBook」とかのシャツを身につけると、不思議とチームワーク意識が高まったものだ。個人プレーが好きなアップル社員も団結をしたくなる。団結するとチャレンジ精神がさらに鼓舞されるからだ。

それに比べ、IBMやマイクロソフトの仕事はどうか。

組織を重視し、積み木を一個一個積み上げるように業務を遂行することが求められる。ひらめきや情熱より、合理性とルールを重視する。いきおい多くが、大切だがおもしろみが欠けている業務になる。

アップルの仕事は、腕に覚えのある技術者やプログラマーたちが思わずのめり込む魅力にあふれていた。並みの人間なら避けて通りたい難問であればあるほど、解決するまで、それこそぶっ続けで仕事をしてしまう。なぜか？　優秀で自信があるからだ。ジョブズはこうした人材を見抜くのが上手だ。かつ、彼らの心に火をつける方法を熟知していた。

◎──現実無視の効用

ジョブズは一方で完璧を追い求めつつ、もう一方でスピードへの執着もすごかった。スケジュールが年月単位でなく週日単位なのはいいとして、「なぜそれほどの時間がかかるのか」といったことを理解しようとしない。それが特徴である。

だから、新製品の開発などでも、不可能なスケジュールを平気で口にできた。よくいえば、開発現場からの積み上げ算ではなく、マーケットがほしがる日からの逆算ともいえる。

アップルの株式が公開される前年の一九七九年、ゼロックスのベンチャーキャピタル部門ゼロックスディベロップメントは、アップルに一株一〇ドル、一〇万株で一〇〇万ドル（約二億二〇〇〇万円）の投資をしている。

ゼロックスは、投資相手からは必ず五年計画を提出してもらっていた。ただ、実際には、どんなにすぐれた企業でも、計画実現に七年はかかっていた。だが、アップルはわずか一八カ月で達成し、ゼロックスの度肝を抜いた。その上、一〇〇万ドルの投資は約二〇〇〇万ドルもの価値になっていた。

ジョブズとスティーブ・ウォズニアックが一〇〇〇ドルあまりの資金でアップルコンピ

ュータを設立したのが一九七六年だ。五年に満たない年数での株式公開は驚異的な早さとしか言いようがない。

ジョブズ自身よく働く。一般に、アメリカの経営陣や管理職は、驚くほど猛烈に働いて、猛烈に稼ぐ。そして、部下にもよく働くことを求める。ジョブズも当然、猛烈さを要求した。「どこにもない、世界を変えるようなものを、ごく短い期間でつくり上げる」という目標で部下を奮い立たせ、長時間労働に駆り立てた。

マッキントッシュ・プロジェクトをジェフ・ラスキンから取り上げたあと、ジョブズが「一年以内に市場に送り出せるマシンを完成する」という不可能な目標を掲げ、達成しようと限界を超えて挑んだのがいい例だ。

「現実になど自分の決意の邪魔はさせない」のだ。たいていの人は現実を踏まえ、実現可能なスケジュールを立てるが、それでも、さらに遅れるのが普通だ。それに対し、ジョブズは、現実などはなから無視する。時間的制約などなんとでもなると考えるのだ。

◎――息切れしたらどうするか

マッキントッシュは、「コンピュータの知識を持たない普通の人が簡単に使える」という大事なコンセプトをはじめて製品化した。人間の自然な行動パターンにマッチしたコンピュータと言い換えてもいい。

たとえば自転車に乗っていて、右に曲がりたければだれでもハンドルを右に切る。それが自然だ。もしハンドルを上に引っ張らないと右に曲がらない構造だとしたら、事故が多発するだろうし、自転車の運転教習所が必要となる。

ハンドルを上に引っ張る自転車が大型コンピュータであり、普通の自転車がマッキントッシュである。以降、どこのメーカーであろうと、CPU（中央処理装置）やメモリ、HDD（ハードディスクドライブ）やサイズがいかに進化しようと、すべてのパソコンは、「だれにでも簡単に乗れる自転車」「コンピュータの知識を持たない普通の人が簡単に使える」ことを追求するようになった。

アップルは、世の中にないバージョン1・0づくりに全エネルギーを費やしてしまう。あとの改良やコストダウンなどには興味を失なう会社である。

マッキントッシュチームも、開発段階のあまりのムチャがたたってか、製品発売とともに技術者たちは脱力してしまう。後継機種に力を注げず、発売時のダッシュで息切れしたあとは思うような販売成果を残すことはできなかった。

だからといって、ジョブズの仕事のスタイルが変わったわけではなかった。一〇年の空白をへてアップルに復帰した四〇代のジョブズがｉＰｏｄ開発メンバーに課した期間は、マッキントッシュのときと同様に、まわりを恐れさせるほどのハイスピードだった。

＊

パワーのある経営者は、時間感覚が一般人とはずいぶん違うようだ。

本田宗一郎は、指示を出すとき、必ず「今やれ。すぐにやれ」と言った。本田技研工業創立者の部下が「時間が足りない」と言いわけしようものなら、「一日八時間と考えるから時間が足りない。一日二四時間と考えれば、もっと早くできる」と叱咤した。しかし、スピードと時間へのこだわりが強烈だったからこそ、世界のホンダになり、絶対に不可能だと言われていたＦ－レースで勝てたのだ。

松下電器では、月末、各事業部長が営業成績を松下幸之助に電話で報告していた。ある事業部長が、月末のすでに夜一〇時近くに「目標に届きそうにありません」と報告した。すると幸之助は一言「まだ二時間ありますな」と応じたという。深夜の二時間、最後の最後までありったけの知恵を絞って努力することを求めた。これが、幸之助の成功の原動力だった。

目標を高めれば能力も高まる

◎──「力」を集めるジョブズの方法

アップル時代、廊下でスティーブ・ジョブズと偶然会ったり、エレベーターにたまたま乗り合わせたりしようものなら、生きた心地がしなかった社員もいた。気まぐれになにかを聞かれ、気に入らない答えでも返せば、とんでもないことになるからだ。

面と向かってメチャクチャを言われる。あまりの暴言に何週間も落ち込むのはまだいいほうだ。ひどいときには、エレベーターのドアが開くころにはプロジェクトの中止を言い渡されたり、クビを宣告されることすらあったほどだ。

ジョブズは、すぐれた才能を持っている人間を見出し、駆り立てて、高い目標を実現して、すごいものを生み出す才能にたけている。「この人間が必要だ」となれば、なんとしても口説き落とし、ゼウスのごとく立ちはだかって外敵からチームを守る。

実際、ジョブズは才能があって多大な貢献をしてくれる人間からのアドバイスや批判なら、素直に聞くことができた。聞いたからといってジョブズの考えが変わるわけではない。だが、少なくとも暴発の確率は格段に低かった。

他人には見えないものを、すぐそこにあるかのごとくに信じさせる天才的な能力がジョブズにはある。そんなジョブズのビジョンに心酔すれば、あとは自分の才能というエンジンの回転数をレッドゾーン以上に上げればいい。

ジョブズは、自分が認めるプロジェクトや人間のためには、社内の他部門から平気で予算をぶんどる。技術者が足りなければ別プロジェクトからかっさらってくる。最高の条件で最高のメンバーが最高の結果を出すようにしていった。

だから、こんなこともある。

別プロジェクトからジョブズのチームに異動が決まった技術者が、ジョブズたちの建物に引っ越そうと、机のまわりを整理していた。するとジョブズがやってくるなり、いきなりパソコンの電源を引っこ抜いた。そしてパソコンと本人をクルマに乗せて職場から連行していった。開発スケジュールが迫っていたのだ。

アップルの成長は、「だからジョブズと働きたいんだ」と思う才能豊かな連中とジョブズとの相互引力が成し遂げていたといえる。

反対にジョブズは、才能や貢献を認めていない人間が口答えでもしようものなら、導火線なしのダイナマイトとなる。期待に応えられない場合も悲惨な結果が待ち受ける。能力がなくて首になるのであればまだましだった。なんでもないささいなことで逆鱗《げきりん》にふれ、社史からも名前を消された人間がいる。

ピクサーの創業メンバーであるCGの魔術師アルビー・レイ・スミスだ。

◎――「太陽」に灼かれる人、温められる人

スタンフォード大学でコンピュータサイエンスの博士号を取得したアルビーは、CGを使って観客に感動を与える長編フルアニメづくりの夢を求めてピクサーの創業に関わった中心人物だ。それが、ある会議でジョブズに反論したために、ピクサーを離れることになったばかりでなく、社史からも消されることになった。

理由は実にささいなことだ。

なんとホワイトボードが原因だった。

ジョブズは、もともとアルビーの批判には比較的素直に耳を傾けていた。ときには指摘

を検討することもあった。パソコンビジネスでは経験も才能も他を圧倒していたジョブズも、映画制作では素人だった。CG制作の経験豊富なアルビーの意見は十分聞くに値した。

ところが、ある会議の席上、いつものようにジョブズが会議室でホワイトボードに書きながら話をしているところに、アルビーが割って入った。そこまではよかった。だが、アルビーがホワイトボードのところに行き、意見を説明しながらボードに書き込もうとしたのが致命傷となった。

とたんにジョブズが爆発した。ヒステリックに叫び、アルビーをさげすみ愚弄する言葉を投げつけると、部屋を飛び出していった。

ジョブズは基本的にマイクロ・マネジメントを行なう。現場のこまかい点にまでくちばしを突っ込んで、担当者レベルの些事《さじ》までコントロールしたがる。といって、ホワイトボードへの猛烈な執着は不可解だ。

ジョブズには、「自分の」ホワイトボードに「自分以外の」アルビーが書き込むという行為が許せなかったらしい。ホワイトボードのどこに、そんなにこだわる価値があるのか。

その答えは、世界中でジョブズただ一人しか知らない。

ともあれアルビーは辞表を提出し、ピクサーは重要な人材を失なうこととなった。

しかしジョブズは、まだ気に入らなかった。ピクサーの歴史まで変えようと行動した。スピーチからもインタビューからも、ピクサーのウェブサイトからもアルビー・レイ・スミスという名前を抹殺した。ピクサーをCGの先頭を走る企業とするために、何年も尽くしてきた人物だというのにである。

ジョブズは太陽のようなものかもしれない。距離を置いていると暖かく心地よい。しかし近づきすぎると灼熱《しゃくねつ》のエネルギーで燃やし尽くされて滅ぶ。

巨大イベントで、ジョブズはハリウッドスターのように何千人もの観衆を魅了するが、会議室では、怒鳴り、服従させて指示を出す。ジョブズのエネルギーは、半径一〇メートル以上離れている人々を熱狂させ、半径五メートル以内の人々を恐怖に陥れる。

◎──ジョブズが恐れた「おバカの爆発的増大」

ジョブズはこんなことを言っている。

「一流の人間だけで会社をつくれば、みんなが一流の人間を雇おうとする。だが、そこに二流が一人まぎれ込むと、そいつが同じ二流を集め始めるから、またたく間に会社が二流と三流だらけになってしまう」

ジョブズは、才能あふれる選ばれた一握りのプロだけを集めたいと考えていた。しかし、会社の規模が大きくなるにつれ、必ずしもそうはいかなくなる。ジョブズの目から見ると、無能な人間が増えるわけだ。

これを「おバカの爆発的増大」とアップルの古参社員たちは呼んでいたという。この言葉だけでも、ジョブズの組織に対する考え方が読み取れる。

ジョブズがメンバーに求めるのは「忠誠」と「才能」だ。それさえあれば認められ、ドアの内側に入れる。一方で、それを疑われると、あっという間にドアの外に放り出される。

特に「忠誠」は、普通ならだれも気にとめないささいな点にまで及ぶ。

ジョブズがアップルの暫定CEOに復帰して社員全員に出した最初のメールが二通ある。

①社内は禁煙だ。社内でタバコを吸うな

②社内にペットを連れてくるな

受け取った社員の大半は、ジョブズの名をかたる偽メールだと勘違いした。しかし本物であり、ジョブズの些細なことへのこだわりはその後いたるところで発揮されていく。

カリフォルニアの青い空の下にアップルの本社は立っている。中央に大きな芝生を配し、まわりをいつくもの低層階の建物が取り囲む。どの部屋も外から日差しが十分にさすよう窓が大きく、きれいにデザインされている。二階にはテラスもあり、金曜日の午後ともなるとそこでビールを飲んだり、中央の芝生でペットの犬とフリスビーを始める連中もいる。それがジョブズが暫定CEOとして再臨するまでのアップルだった。

もはやその姿は相当に変わっているだろう。

◎――人望が集まるタイプでなくても……

ジョブズは自然と社員から人望と忠誠が集まるタイプではない。忠誠を要求するタイプだ。人によっては「かわいそうだ」と思うかもしれない。だが一方で、ジョブズに才能を見出され、彼のもとでならすごいものを生み出せると感じる人が多くいるのも事実だ。

マッキントッシュ発売後、アップルは組織変更により、「マックグループ」とビジネス指向パソコンの「リサグループ」を統合し、ジョブズが長に就任している。

このとき二〇代のジョブズは無惨な結果に終わったリサグループに、

「お前らはクズだ」

というひどい言葉を投げつけている。メンバーの怒りを引き出すことでやる気に火をつけるジョブズの破壊的なやり方だ。

たしかに、一流と一流が激しくぶつかるとき、火花が飛び、新しいものが生み出され、高いゴールに駆け上がる。だが、それはジョブズにだけできる魔法だろう。

能力や野心が大きければ大きいほど、人はジョブズに惹きつけられる。そしてドアの内側に入れば、「ジョブズ以外の人の下では働きたくない」と言いきる。一方で、ドアの外側に追い出されたら、「二度と絶対ジョブズとは働きたくない」と断言する。

ジョブズは、敵と味方をまっぷたつに分ける。地上最強の磁石で味方を引きつけ、敵を遠くに追いやるスタイルだ。

＊

会社で社員同士が調和的に仲よくやることで成果をあげるケースはもちろんある。ただ、独創力には、「炎の芸術家」といわれた岡本太郎の「対極主義」も必要だ。対極にあるものがぶつかり合うとき、火花を散らしながら、すばらしいなにかが生まれるという考え方だ。この考えにもとづいて、今に残る芸術作品を生み出している。

ジョブズのマネジメント手法は、まさに対極主義である。仲よしごっこでは、世界を驚かすほどのすごいモノは創造できない。互いの信じるものが激しくぶつかり、バチバチと火花を散らした先に現われてくるのだ。

味方の離反をどうするか

◎――ジョブズはなぜ自分がつくった会社をクビになったのか

「私とウォズニアックは懸命に働き、二〇歳のときガレージでたった二人から始めた事業は、一〇年で四〇〇〇人以上が働く二〇億ドル（約四四〇〇億円）企業になったのです。私たちの最高の創造物であるマッキントッシュを世に出して一年後、私は三〇歳になり、そして私は突然クビになりました。

どうしたら自分がつくった会社をクビになれるかって？

そう、会社が成長する過程で、一緒に経営をするのにとても才能があると思えた人を雇ったのです。最初の一年ほどはうまくいっていました。しかし、その後、将来のビジョンで意見が分かれ始め、最終的には仲たがいとなります。そうなったとき、取締役会は彼の側についたのです。それで私は三〇歳にして失職しました。私は人生全体の中心だったものを失なったのです。それは破滅的なできごとでした」

これは、スティーブ・ジョブズがアップルを去るに至った経緯について説明をしたものだ。二〇〇五年にスタンフォード大学で行なった講演の一部である。

「経営をするのにとても才能があると思えた人」とは、米国ペプシコーラ社長だったジョン・スカリーである。

「一生、砂糖水を売り続けたいのか、それとも世界を変えるチャンスを手にするか」

という伝説となった口説き文句で、ジョブズ自身がアップルにスカウトした相手だ。ジョブズがスカリーに目をつけたのには、わけがある。

当時、アップルCEOはマイク・マークラだった。まだ二〇代だった会長ジョブズは、マッキントッシュ・プロジェクトのリーダーではあったが、経営を思い通りにできていたわけではない。そこで、自分が操りやすい人間をCEOとしてすえるのも悪くはないと考えた。

また、マークラ自身も、激務の経営から身を引こうと考えていたふしがある。社内の混乱からマイク・スコットがCEOの座を去ったために、しかたなしにマークラが兼務していたのだ。

アップルの取締役会は、実績ある経営者を探し始めた。

そして、候補者を二人に絞った。

一人はＩＢＭワールドワイド製造担当副社長のドン・エストリッジ。ＩＢＭパソコンを開発したチームのリーダーでもある。かなりの好条件で引き抜きを試みたが、あえなく失敗した。

もう一人がジョン・スカリーだ。アメリカ東部の名門ペンシルベニア大学のＭＢＡを持ち、ペプシコーラの社長として辣腕《らつわん》をふるっていた。ライバルのコカ・コーラよりもおいしいと実証するために、目隠しをした消費者に味見をさせる「ペプシ・チャレンジ」を展開し、大評判をとるなどマーケティングの達人でもあった。

◎――最初はとてもうまくいっていても？

スカリーは、辣腕経営者だったが、コンピュータ業界、特に技術的なことはまったくわからなかった。

これはジョブズにとって願ってもないことだった。経営やマーケティングには強いが、技術はまるでわからない。だれが教えるか。ジョブズだ。自分がつくったアップルの経営を任せる上で、これほどぴったりの人物はいないように思えた。

一年半に及ぶ説得の末、一九八三年にスカリーはアップルの社長兼CEOに就任した。スカリー四四歳。年俸一〇〇万ドル（約二億四〇〇〇万円）、契約金一〇〇万ドルのほか、三五万株のストックオプションなどが用意された。

「私がアップルに来た一番の理由は、ジョブズと一緒に仕事をしてみたいと思ったから」とスカリーは胸の内を語っている。

ジョブズとスカリーの関係は、最初はとてもうまくいっていた。マックが発売後一〇〇日間で七万台も売れたこともあり、マスコミが「ダイナミック・デュオ」と呼ぶほどのいい関係だった。スカリーは経営とマーケティングの師匠、ジョブズは技術の教師。二人の有能なプロフェッショナルはみごとに共生し、アップルを牽引した。

しかし、蜜月は長く続かなかった。

マックの売れ行き低下に対し、スカリーはペプシ時代に培ったマーケティング手法を発揮した。「マックお試しキャンペーン」を展開したのだ。アップルの販売店にクレジットカードを持参し、必要書類にサインさえすれば、だれでもマックを自宅に持ち帰り、二四時間だけ自由に使える。参加者二〇万人に及ぶ大キャンペーンだった。

これにより、アップルは苦境を脱することができるかに思えた。

だが、パソコンの世界はコーラよりもちょっとだけ複雑だった。

「ペプシ・チャレンジ」が成功するには、ペプシがコークよりおいしいと実感することが重要だ。同様に「マックお試しキャンペーン」成功には、消費者がマックのすばらしさにほれ込んで、買いたいと考えることが必要だった。

ところが、スカリーの期待ははずれ、参加者のほとんどがマックを返しに来た。販売店には中古のマックが大量に在庫として残される事態になり、ジョブズの逆転ホームランに期待が集まった。

◎──「ジョブズが普通であるはずがない」

しかし、若きジョブズのカリスマ性は、専横的なリーダーシップに変質していた。社員たちを不安と不信の竜巻に巻き込んで、問題解決の障害となっていた。

一九八五年の取締役会でスカリーは、組織の混乱を引き起こすジョブズをマッキントッシュの責任者からはずすように提案し、了承を得た。

ただし、この時点ではスカリーはジョブズを追放しようとは考えていなかった。まだまだジョブズを善意の目で見ていた。

このようなことが起これば、頭を冷やして反省するのが普通だが、ジョブズが普通であるはずがない。ただちに反撃に出た。

取締役会のメンバーをひそかに反乱に誘ったのだ。

察知したスカリーは、緊急会議を招集してジョブズと対決する。取締役会はジョブズかスカリーのどちらを支持するのかの決断を迫られ、結局スカリーを選んだのだった。

自分が見込んで連れてきた人間によって、自分がつくった会社を追われるとは、さすがのジョブズも考えてはいなかった。ジョブズは一株だけを残して、すべてのアップル株を売却し、自分の創ったアップルを去った。

◎——「船長二人」の船のゆくえ

信頼していた人間に裏切られるのはしばしばあることだ。

有能であるからこそ信頼し、スカウトするのだが、有能であるがゆえに主導権をとられるわけだ。かといって無能で無害な人間ばかりで固めては成長が望めない。

スカリーは、ある時期までは間違いなく有能だった。

彼は一〇年間アップル経営に携わった。一九八三年のCEO就任時は約六億ドルだった売上は、一〇年で八〇億ドル近くまでに成長した。前年一九九二年末ではコンピュータの販売台数では世界一にもなる。利益をもっとも上げているコンピュータ企業で、現金準備高は二〇億ドルにもなっていた。

しかし時間の経過とともにスカリーは、アップルの経営に情熱を失なっていく。本業以外の政治活動に熱を入れ、ビル・クリントンのために遊説に行くなどのことが原因で、取締役会は彼の解任を決定する。スカリーは退職金一〇〇万ドルや二四〇万ドルのストックオプションを手に、アップルを去った。

アップルという船に、ジョブズとスカリーという二人の船長が乗っていたのだ。やがては舵《かじ》を奪い合うのは当然の成り行きである。海が荒れ、嵐に船が飲み込まれるような危機的状況であればよけいにそうだ。

両雄が並ぶことは、あり得ない。船長は、ただ一人でなくてはいけないのだ。

＊

会社を成功に導くには、「二人の船長」ではなく、野球でいうエースピッチャーとキャッチャーという「補完関係」が重要である。

ソニーでは、井深大《いぶかまさる》が技術を考え、盛田昭夫がそれを世界に広めていった。松下電器では、神様・松下幸之助を支えた大番頭・高橋荒太郎がいた。ホンダで本田宗一郎が二輪車や自動車づくりに熱中できたのは、藤沢武夫というすご腕の金庫番がいたからであった。同じ領域を得意とする二人ではなく、違った分野を得意とする者同士がタッグを組めば、一+一=二以上のみごとな成果を生み出すことができるのだ。

ちなみに宗一郎は六六歳で社長を退任すると「指揮官が二人いちゃ戦争はできん」と言って、後任社長にすべてを任せた。以来、会社にも顔を出さないようにしていた。つぎの船長にみごとにバトンタッチした好例だといえよう。

こうしてみると、アップルの最大の問題点は、ジョブズの後継者である。六〇歳になったジョブズが、もしアップルCEOとして依然として君臨していたら、それはアップルが危機に瀕していることを意味するのだろう。ただし片方で、ジョブズにはいつまでも、とがった経営者でいてもらいたい。悩ましい問題である。

ジョブズは新しい会社をつくり、経営者として最前線でひた走る。これが望ましい姿であろう。

4章

最善の説得術は棍棒《こんぼう》でたたくことだ

——ジョブズの「攻撃」vs凡人の防御

コロリと変わるのも交渉の技術

◎──ディズニーの「不平等交渉術」

スティーブ・ジョブズの名は「ディズニーを制した男」として、シリコンバレーを超えて、ハリウッドにも轟《とどろ》く。

ディズニーは、夢の王国であると同時に、キャラクタービジネスや映画ビジネスの帝国だ。そのCEOマイケル・アイズナーは「帝王」と呼ばれた。

映画ビジネスの都ハリウッドは、天才たちが金を求めて牙《きば》を研ぎ、ろくでもないだまし合いを二四時間やり続ける世界でもある。アイズナーは苦労して出世し、その頂点にのぼりつめた。ビジネスの勘はだれよりも鋭い。部下には忠誠を強烈に求め、信用できないと簡単に切り捨てる。なぜかジョブズと一脈通じる性格ともいえた。

そのアイズナーとの交渉は、ジョブズの真骨頂を示すものだった。

ジョブズが買ったときのピクサーは、ルーカスフィルムのコンピュータ部門にすぎなかった。それが儲かる企業に急成長できたのも、大ヒット作『トイ・ストーリー』が生まれたのも、一九九一年にディズニーがCG映画の契約をピクサーと結んでくれたからだ。ディズニーは恩人である。だが、ジョブズは恩義に報いる人物ではない。

その一方で、恩人には恩人の都合がある。

ディズニーは自分の映画ビジネスのために、ピクサーの技術やジョン・ラセターの才能などを必要とした。しかし、報酬はケチった。契約は、おいしいところはディズニーが全部持っていく内容だった。

ジョブズにとって、そんなディズニーの都合に合わせた自分に不利な不平等契約書は、なんとしても破り捨てたいものだった。アイズナーを相手に、ジョブズは二度にわたって大きな揺さぶりをかけ、すさまじい交渉を成功させている。

最初の揺さぶりは、『トイ・ストーリー』の大ヒットを勝機ととらえ、契約期間が残っているにもかかわらず、契約内容の大幅な見直しを迫ったことだ。契約を、対等どころか優位に直させた。『トイ・ストーリー』の大成功と、天才ジョン・ラセターがいるという切り札を巧みに使うことで引き出した大きな譲歩であった。

◎──ジョブズはなぜ契約さえ無視できるのか

一九九五年のある日、ジョブズは、帝王アイズナーに一本の電話をかける。期限の来ていない契約の見直し要求である。アイズナーには承服しがたいものばかりであった。これほどの侮辱をハリウッドで受けたことははじめてだったろう。ライオンがネズミから喧嘩をふっかけられたようなものだった。

「契約があるだろうが。条件もすべて合意ずみだぞ。ハリウッドじゃ門外漢の若造め」と、アイズナーは怒りに震えたはずだ。

当初の不平等契約はこうだった。

①ディズニー

制作、プロモーション、配給の費用を負担する。おもちゃやゲーム、他業界との共同キャンペーンといったキャラクター商品のロイヤリティはすべてディズニーの収益にする。

②ピクサー

キャラクターの外観や性格、脚本、会話、声優などクリエイティブ面を担当する。契約に記載された三本の映画すべてにジョン・ラセターが関わる。

ジョブズはこの契約に、すでにサインをしていた。ディズニーからの制作費は、非常にありがたい。半面、映画という複雑なビジネスには経験不足で、キャラクターがもたらす莫大な収益について十分な理解をしないままサインをしていたのだった。

『トイ・ストーリー』の大ヒットによってピクサーの経営状況は激変したが、普通の人間なら「契約があるから」とそれ以上は望まず泣き寝入りし、契約の見直しなどは申し出ないだろう。つぎの契約更改まで我慢をするはずだ。

だが、ジョブズが、そんな我慢などするはずもなかった。ピクサーの株式を上場して多額の資金的余裕もできていた。契約書など存在しないかのように平然と、アイズナーに三つの条件を申し入れた。

一つ。ディズニー向け映画の制作において、クリエイティブをすべてピクサーに任せる。コンセプトやキャラクター、ストーリーなどのレビューのためにディズニーのあるバンクーバーまで出向かなくていい。

二つ。ピクサーブランドの認知度を高めるため、DVDパッケージ、他業種との共同キャンペーンなど、あらゆる製品にディズニーと同じ大きさのピクサーのロゴをつける。

三つ。ピクサー制作の映画の収益は、ディズニーとピクサーで折半する。

「ディズニーと仕事をしたければディズニーのやり方に従え」という高飛車に対し、たかだか一本の映画をヒットさせただけの新参者が対等に渡り合おうというのである。アメリカ文化の象徴でもあり、ハリウッドの王座にすわるディズニーに、有効期限の残る契約書を無視してまで、ジョブズは迫ったのであった。

◎――優位に立ったら交渉法を変えよ

このムチャとも思えた交渉に、ジョブズは勝利する。

『トイ・ストーリー』で成功したピクサーは、もはや無名ではなかった。ユニバーサルなどの大映画会社が「一緒に仕事をしたい」とオファーをつぎつぎと申し出る人気アニメ制作会社となっていたのだ。

一方でディズニーは、ピクサーをなんとしても留めておきたかった。ジョブズを怒らせて契約を破棄され、ほかの映画会社と契約を結ばれてはならない。多少の出血は覚悟しても長期契約を結ばなければならなかった。

高飛車なジョブズに、帝王アイズナーが折れた。今後、数年にわたって複数本の映画をカバーすることに加えて、ジョブズは、こんな破格の内容を勝ち取る。

・キャラクター商品の収益はピクサーにも分配される
・興行収入はディズニーとピクサーが折半する

トップクラスの辣腕《らつわん》プロデューサーでさえ、興行収入の一五パーセントしかもらえないというのに、これだけの条件をディズニーから引き出したのは、まさに奇跡だった。

それだけピクサーの能力が高く評価されたのだが、ジョブズ以外の人間が交渉していれば不可能だっただろう。いや、そもそもハリウッドの巨人ディズニーと帝王アイズナーに、契約書がありながら交渉をかけるなど、発想すらしなかっただろう。

＊

ビジネスの世界で約束や契約などを守り、信用を築くことは非常に大切だ。契約の遵守《じゅんしゅ》は、仕事の基礎ともいえる。

半面、契約時点で想定していた以上に、状況が変化することも多い。自分が有利な状況になっても、なお不平等な契約に縛られ続けるか。ここに「変える」という発想が登場する。バカげた契約は変えなければならない。ただし、相手も抵抗する。時機を見計らって勝負をかける。ときには「破る」こともいとわない覚悟が必要だ。相手が自分を本当に必要としていれば、破り捨てた契約の先に、有利な契約が待っている。

交渉相手を分断せよ

◎――おぼれる犬はたたくのが正しい

ピクサーは、『トイ・ストーリー』に続いて『バグズ・ライフ』『トイ・ストーリー2』『モンスターズ・インク』とヒットを飛ばし、二〇〇三年には魚を主人公とした『ファインディング・ニモ』の公開を控えていた。

しかし奇妙なことに、ディズニーCEOマイケル・アイズナーは、この作品の失敗を願っていたようにも見える。

理由はスティーブ・ジョブズにあった。

ピクサーの成功はディズニーに大きく貢献する。だが、今回も『ファインディング・ニモ』がヒットしたら、契約更改の席上で、あの傲慢なジョブズがどんなにムチャな要求をしてくるか想像に難くない。作品が不調に終われば短期的には痛手だが、ジョブズとの交渉を有利に進められる。そのほうがありがたい。

そうアイズナーが考えたとしても無理からぬことだった。

しかし、『ファインディング・ニモ』は、アニメーション映画史上第一位の興行成績を樹立した。歴代ハリウッド映画においてもトップ一〇に入る成績だ。アカデミー賞（オスカー賞）では、脚本、音響編集、作曲の各部門にノミネートされ、アニメーション映画部門賞を受賞した。

アイズナーは大きく傷ついた。

一方のジョブズは最高の手札を手に入れ、雑誌『タイム』の表紙まで飾った。「ピクサーと仕事をしたくないところなどあるはずもないよ」と、あらゆる映画会社がジョブズのもとを訪れる。ジョブズは、映画の所有権をピクサーが持ち、ディズニーのマーケティング力と配給網だけをお金を払って利用したいと考えていた。

ディズニー側にしてみれば、最低の取引だ。

アイズナーは追い詰められていく。

ジョブズは強気で交渉に臨み続ける。一〇カ月あまりの交渉をへて、二〇〇四年一月には、突然ディズニーとの交渉打ち切りを宣言して驚かせた。

ここまで強気に出ることができたのは、アイズナーが社内に問題を抱えていることも影響していた。

「アイズナーがいてはディズニーと良好な関係を続けるのは難しい」

とジョブズは考え、アイズナーの追い落としにかかる。

それはつぎのようなものだった。

◎――異端児が帝王に勝った理由

アイズナー体制は必ずしも磐石《ばんじゃく》ではなかった。

創業者一族であるロイ・ディズニー。ロイの投資顧問で、アイズナーを採用した本人でもあるスタンリー・ゴールド。この二人がアイズナーと敵対していく。

ロイとゴールドの二人は、アイズナーの圧力により取締役を辞任するが、「セーブ・ディズニー・ドットコム」というウェブサイトをつくり、アイズナー追放キャンペーンを展開していた。

そのロイ・ディズニーが、ジョブズの側に立ったのだ。これによりアイズナーはロイの攻撃を受けつつジョブズとの難交渉を続けるという火の海に放り込まれることになった。

ジョブズはアイズナーを助けない。「今こそ有利な交渉を進めるチャンスだ」とほくそえんでいた。

二〇〇三年三月、株主総会で、アイズナーに四三パーセントもの不信任票が突きつけられた。アイズナーの立場は弱体化する。やがてアイズナーは、二〇〇六年の契約終了をもってCEOを辞すると発表せざるを得なくなる。そして、予定より早く二〇〇五年に退任した。シリコンバレーの異端児が、ハリウッドの帝王を追い落としたのだった。

一〇年以上前、はじめてジョブズとの交渉のテーブルについたとき、アイズナーは、こんな映画の素人に自分が追い落とされる日が来るなど、想像もできなかっただろう。

後任にはボブ・アイガーが就任した。新CEOのもとで、ディズニーはすぐさま冷え切っていたピクサーとの関係修復に乗り出す。そして二〇〇六年一月、ディズニーによるピクサーの買収が決定する。

ジョブズが二〇年前にわずか一〇〇〇万ドルで買った会社は、七四億ドル（約八五一〇億円）の価値になった。七〇〇倍を超える大金をもたらしたのだ。

その上ジョブズはディズニーの筆頭株主になり、取締役に就任した。さらにジョブズは、ピクサー独自で制作した『ミスター・インクレディブル』を大成功させ、ディズニーなしでも映画を制作しヒットさせる力があることを実証した。『ミスター・インクレディブル』は、アカデミー賞のアニメ作品部門と音響部門の二冠まで制覇している。

＊

帝王アイズナーは、なぜ、無名のピクサーを従えただけの素人ジョブズに敗れたのか。いくつかの理由があるが、「アイズナーはジョブズの初対面の印象を最後まで引きずったのではないか」ということを見逃してはいけない。ジョブズとピクサーは、最初こそ映画業界ではヨチヨチ歩きだったが、徐々に実績を積み、急成長していく。しかしアイズナーは、ジョブズの高飛車な態度と破天荒な性格に心を乱されて、客観的にその状況をとらえられない。シリコンバレーから来た映画界の新参者という先入観から脱皮できなかった。相手を客観視できないということは、自分自身を冷静に見る余裕もなくなっていたということだ。

重要な教えがここにある。「ビジネスでは、戦っている相手は日々変化する」ということだ。変化に気づかない人、あるいは変化を見る勇気を持たず、初対面の印象を引きずってしまうビジネスマンや経営者は少なくない。だが、先入観に振り回されては、有利に交渉を進められるはずがなく、勝機も遠のいてしまう。

ビートルズとジョブズの交渉術

◎──「リンゴ」をめぐる長い確執

スティーブ・ジョブズは、あのビートルズとさえ、リンゴの商標をめぐって法廷闘争を繰り返してきた。二〇〇六年に、ビートルズの故国イギリスの裁判所で出た判決では、アメリカ人ジョブズのほうが勝って世間を驚かせた。

ジョブズが創業した当初の社名は、アップルコンピュータだ。その製品であるiPodやマッキントッシュには、かじられたリンゴのロゴマークがついている。

一方、ビートルズのレーベルはアップルである。ロゴはリンゴだ。

酷似している二つの「アップル」は、法廷闘争の長い歴史を持っている。

ビートルズのアップル・レコードは、一九六八年に創設された。オーストラリア原産のグラニースミスと呼ばれる青リンゴをモチーフとしたロゴマークは、熱狂的な支持を受け続けている。また、ビートルズの音楽的資産などを管理するイギリスの会社アップル・コープスは、現在、ポール・マッカートニー、リンゴ・スター、そしてジョン・レノンの未亡人オノ・ヨーコ、ジョージ・ハリスンの遺産管財人によって共同所有されている。

すごいメンバーだ。

一方、ジョブズのアップルは、アップル・レコードができて八年後の一九七六年に創業された。ロゴとして、右側に一口かじった跡のある横縞《よこじま》六色のカラフルなリンゴが長らく愛用されてきた。アップルを追放されたジョブズが一九九七年に復帰したとき、カラフルな色調は約二〇年の歴史を終えて、現在の単色となっている。

アップルという社名は、スティーブ・ジョブズとスティーブ・ウォズニアックが「まっ、これでいいか」程度に決めた名前にすぎなかったという。「ジョブズが一時期社員をしていた『アタリ』より、電話帳で前に載る名前にしたかった」とか「ドライブ中にリンゴの木を見てひらめいた」など諸説あるが、これだという確固たる由来には行き着かない。

いずれにしても、ビートルズで青春時代を過ごした二人が「ビートルズが好きだからアップルだ」としたと見られても不自然ではない。

アップルのリンゴのロゴマークは、知的で優しいイメージで、会社設立時から大人気になった。アップルという社名も非権力的で親しみやすく、ファン拡大に大いに役立ったはずだ。一方で、巨大な影響力を持つビートルズとの商標問題というやっかいな時限爆弾になっていく。

◎——ガードが「自然に下がる」のはどんなとき？

ビートルズがアップルとはじめて係争したのは一九八一年だった。アップルが、パソコン関連商品に「アップル」の商標を世界中で使えるようにビートルズ側と交渉した。当時のアップル社長スコッティによると、約一〇万ドル（約一一〇〇万円）の使用料を払ったという。これは「音楽分野にはアップルは入っていかないよ」という意思表示でもあった。

だが、テクノロジーの進化にともない、パソコンは音楽を扱うようになっていく。一九八九年、アップルは音楽機能を付加した製品を発表した。

ビートルズ側は再び提訴した。審理の結果、アップルがビートルズ側に約二五〇〇万ドル（約三四億円）を支払うことで、一九九一年に解決した。同時に、音楽事業に参入する際には「アップル」の名称と、リンゴの商標を使わないという協定を締結している。音楽業界への線引きが再び明確になされたのだ。

だが二〇〇三年、アップルは音楽配信サービス・iTMS（iTunes Music Store＝現在はアイチューンズ・ストア）をスタートさせた。

ところで、音楽の門外漢だったジョブズが、なぜ不可能と言われていた大手レコード会社を巻き込んでの音楽配信サービス・iTMSを大成功させることができたのだろうか。

理由を考えると、おもしろいことに気づく。大手音楽会社トップと直接交渉や、有力ミュージシャンからの協力、海賊コピーへの技術的対策の準備などは、もちろん重要な要因だ。だが、それだけでは十分ではない。忘れてはいけない本質的な要因がある。ジョブズが「ロールモデルの一人にボブ・ディランがいる」と公言するボブ・ディラン好きでもあったことだ。新製品マッキントッシュのお披露目の舞台でも、ボブ・ディランの名曲『時代は変わる』の歌詞の何行かを朗読するほど熱狂的なファンだった。

iTMSの交渉において、当時全米レコード協会会長を務めていたヒラリー・ローゼンが重要なことを語っている。

「テクノロジーの世界の人々にとって、音楽はソフトウェアにすぎない。でも、スティーブは熱狂的な音楽ファンだった。これは、音楽業界の人々にとって大きな意味があった」

彼らは、音楽をビジネスの道具と考える人と交渉するときは、最初からガードを高くするだろう。だが、ジョブズのように若いころからの熱狂的な音楽ファンで、音楽を生み出すことの大変さ、すばらしさを理解している人間との交渉では、ガードも自然に下がるのは事実だったろう。

◎——本丸に討ち入る

アップルは、iTMSのスタート時にワーナーやユニバーサルなど大手音楽会社と合意を結んで、音楽業界の本丸に討ち入った。このときジョブスは、ビートルズ側にもiTMSへの参加依頼交渉を行なっていた。しかし、ビートルズ側は「一九九一年に交わした商標利用の合意を破るものだ」と、アップルを再び提訴した。

ジョブズの反論はどのようなものだったか。

「一九九一年の合意について、両者の解釈に相違があったようだ。アップルのiTMSは音楽を流しているのではない。データを転送しているだけだ」

と真正面から闘う姿勢を示した。

だが、この反論では、ジョブズ側に分が悪く見えた。多くの音楽関係者が、アップルは再び負けて、ビートルズに多額の損害賠償金を支払うことになるだろうと予想した。シリコンバレーの連中も、どう見ても勝ち目はないと予感していた。

この裁判はビートルズの故国イギリスの法廷で行なわれた。そのエピソードを紹介しておこう。裁判を担当する判事が「私はｉＰｏｄファンであり、自分は審理を担当すべきではないかもしれない」という考えを示す一幕があったのだ。

結局は「公平な審理が可能である」ということで判事は変わらなかったが、それほどにｉＰｏｄが世界中で愛されているのだと世間は注視した。同時に、このエピソードは、ジョブズの生み出したｉＰｏｄがどれほどまたたく間に多くの人のライフスタイルに影響を与えたかを示す証左でもあった。

二〇〇六年に出た裁判所の判断は、冒頭で述べた通り、大半の予想を裏切るものだった。ホームのビートルズを、アウェイのアップルコンピュータが破ったのである。

「アップルコンピュータは記録された音楽ではなく、データを配信しているにすぎない」と仰天の判断を示し、裁判所はアップルコンピュータを支持した。ｉＰｏｄで音楽業界を席巻し、ピクサーで映画界を驚嘆させたジョブズには、神風が吹いているのかもしれない。

ちなみに、勝訴に際して、ジョブズは、こんなコメントを発表している。

「ビートルズを愛している。ビートルズの曲をｉＴＭＳで配信するために協力できることを望んでいる」

＊

ｉＰｏｄが大ヒットした理由は、ｉＴＭＳに五大レーベルを参加させ、利用者を満足させたことにある。だがジョブズは決して、気楽に五大レーベルのＣＥＯたちとの交渉に臨んだわけではない。彼は音楽業界の専門家ではなかったからだ。だが、「専門じゃないからやりたくない」と言っていたら、ｉＰｏｄの成功はなかった。いやなことをやり遂げて、やっと自分の好きなことをやれるようになるのだ。

コミック大国・日本で、総販売数二億冊を誇るメガヒット「ゴルゴ13」の作者さいとうたかをは、好きで「ゴルゴ13」を描き始めたのではないという。本当は時代劇を描きたかったのだ。しかし、出版社の要請で、我慢して「ゴルゴ13」を描いた。それだけでなく入魂の作品にした。そのおかげで、その後、時代劇漫画もつぎつぎと手がけることができたのだ。

日常の仕事で、つい「専門外です」と自分に限界線を引いてはいないだろうか。線引きをしている限りは、仕事の質を高めることは難しい。能力アップも起こらない。新しいチャンスも摘み取ってしまっている。それではもったいない。

交渉上手はキーマン探し上手

◎──幼いジョブズの高度な暴挙

すぐれた交渉者を見ていると、相手側のキーマンを見抜くのがうまい。仮に交渉相手に決定権がなくても、なんとか「決定権者はだれか」を探り、会おうと努力する。

スティーブ・ジョブズはキーマンを探し出し、アタックする度胸を、ビジネス界に入るはるか前の中学生のころから持ち合わせていた。

ジョブズの生まれた翌一九五六年に、シリコンバレーで半導体の研究に情熱を傾けたショックレー博士がノーベル賞を受賞し、トランジスターからIC時代へと、エレクトロニクスが脚光を浴び始めていた。

シリコンバレーの一角に住んでいたジョブズ少年のまわりには、最先端技術を扱うエレクトロニクス企業で働く技術者が多く暮らしていた。週末にはガレージの作業台でさまざまな作業をしている。ジョブズは首を突っ込んでは好奇心を膨らませていった。ときには質問を浴びせて、大人を困らせることもあった。

一三歳のころ、エレクトロニクスへの強い好奇心を抑えきれなくなったジョブズは、電子回路の周波数を測定する周波数カウンターをつくろうと考えた。ところが肝心の部品が不足していた。まだ子供である。こんなとき、親に買ってもらうか、つくるのをあきらめるはずだ。

ジョブズ少年は違っていた。キーマンを探しアタックをかける。なんと、シリコンバレーで急成長し、「フォーチュン500」（ビジネス誌『フォーチュン』の企業ランキング）にもランクされる成功企業ヒューレット・パッカードの社長ビル・ヒューレットにいきなり電話をかけたのだ。

二〇分も話をした上、部品を送ってくれと頼む暴挙に出た。

「電話帳に載っていたから」というのがジョブズの言い分だが、成果はあった。大企業の社長が見ず知らずの子供に部品をくれた上、「夏休みにヒューレット・パッカードの製造ラインで組立のアルバイトをしないか」と声までかけてくれたのだ。こうして部品を手に入れた上、最先端の会社の組立ラインで働く体験まですることとなる。

ちなみにビル・ヒューレットはこのとき、アメリカ大統領から国家科学諮問委員会の委員に指名されるほど社会的地位を得た人物だった。

こうしたアメリカ人でもあきれ、大人も圧倒されるほどの押しの強さは、その後も何度も発揮される。

ハイスクールに進んでもジョブズは、教師に強烈な印象を残している。

授業で、バローズの部品が必要になった。バローズは当時ＩＢＭにつぐ第二位のコンピュータ会社で、のちに別会社と合併してユニシスとなる大企業だ。

教師は「近くの支社の広報担当に電話するんだ。そして、授業の課題に必要だから部品を一、二個もらえないかと頼んでごらん」とアドバイスをした。だが、ジョブズは支社ではなく本社に電話をした。厚かましくもコレクトコールだ。その上、単に部品がほしいと言わず、「電子機器の開発中でいろんな部品を試している。ついてはバローズの部品も使ってみたい」ともったいぶったストーリーにまで話をふくらませた。

翌日には部品が送られてきた。それも航空便でだ。教師は驚き、こんな感想を残している。「やり方に問題はあるが、結果を出したことはすごい」と。

高校生ジョブズのいきなりトップにアタックするやり方は、「経験を積むにつれて丸くなる」という人間一般の公式には当てはまらなかった。大人になるにつれ、さらにバージョンアップしていく。

◎——あきらめるタイミングなどない！

一九七六年、二一歳のジョブズは、五歳年上で人づき合いや運動は苦手だがエレクトロニクスにかけては天才であるスティーブ・ウォズニアックと本格的に組む。アップルをシリコンバレーに設立したのだ。

この年、ニューヨークの北のアトランティックシティで、第一回パーソナルコンピュータ・フェスティバルが開かれる。大型コンピュータしかなかった時代から、個人向けパソコン時代への幕開けを予感させるこの催しに参加し、ジョブズは二つのことを痛感した。

①広報と広告のノウハウの必要性
②新しい資金の開拓

広告面でジョブズが目をつけたのは、半導体メーカーであるインテルの広告で同年に世間の注目を集めた、新進気鋭の広告代理店レジス・マッケンナ・エージェンシーだった。

技術中心の広告が当たり前だった当時に、レースカーやポーカーチップ、ハンバーガーなどイメージを中心とした斬新な広告をつくり、高い評価を受けていた。

代表のレジス・マッケンナはジョブズより一六歳年上で、半導体会社ナショナル・セミコンダクターなどの販売部門で働き、一九七〇年にレジス・マッケンナ・エージェンシーを設立した。のちにシリコンバレーのハイテク企業躍進に大きく貢献していく人物だ。

思い立てばただちに行動するジョブズは、同エージェンシーに電話をかけ、マッケンナと話したいと頼んだ。だが、新規ビジネス担当のフランク・バージから、「設立間もないアップルは、わが社ほどの広告代理店が取り扱うような企業ではない」と格の違いを理由に断わられてしまう。

普通ならここであきらめ、相手にしてくれそうな小さな会社を探すだろう。

しかし、ジョブズはなんと、その後一週間、毎日電話をかけては「新製品を見てほしい」と頼み続けるのだ。根負けしたバージはアップルを訪ね、ジョブズの並みはずれた頭のよさに感心する。とはいえ、頭がいいだけの人間はシリコンバレーには掃いて捨てるほどいる。結局、依頼は断わられてしまった。

ここで終われば今のアップルはなかった。だがジョブズはあきらめなかった。キーマンであるマッケンナに狙いを定め、毎日、三回も四回も電話をかけ続ける。そして、ついに本人と話すことに成功した。事務所に来るようにと言われ、これ幸いと訪ねたジョブズは、「アップルと契約してくれるまで、帰らない」と人並みはずれた執念を遺憾《いかん》なく発揮する。直接会ってあきらめさせようと思っていたマッケンナは、気がつけば結局アップルとの取引に合意することとなっていた。

レジス・マッケンナ・エージェンシーは有能な広告代理店だった。それまでエレクトロニクス系企業が使う媒体はマニア向けのものがほとんどだった。だが、マッケンナはアップルが伸びるには、それ以外の市場が必要だと分析した。コンピュータを買うのは男であり、男性読者が多い『プレイボーイ』誌が最適と判断した。体面や伝統を気にする大企業では考えられないことだった。

ジョブズはのちにマーケティングの達人と称されるが、生まれながらに達人だったわけではない。マッケンナとの仕事を通じて、ビジネスは技術だけで成功するのではないことを知ったのだ。

◎――こと交渉では厚顔無恥も美徳になる

つぎの問題が、若きジョブズを待ち受けていた。

できたばかりのベンチャー企業アップルに高価な広告を打つお金などあるはずもない。これを打開するため、ジョブズはキーマンとなるベンチャーキャピタルを見つけ、口説くことに成功し、資金を手にする。

まず、マッケンナに資金を提供してくれそうなところを紹介してくれと頼み込む。「ドン・バレンタインにあたってみたら」と言われた。かつて勤めたアタリのノーラン・ブッシュネルからも名前を聞かされていたシリコンバレーの有名人だ。半導体企業のフェアチャイルドなどでマーケティングを担当し、その後独立してベンチャーキャピタルとなった人物である。

しかし、ジョブズの事業計画を聞いたバレンタインは「よい計画だ」と言ってくれるほど甘くはなかった。「君はまだマーケティングというものを知らない。市場の大きさも理解していないし、考えが小さすぎる」と相手にせず、投資依頼を棚上げにした。

ジョブズはまだ今日のカリスマ経営者でなく、単に若くて未経験な経営の初心者だった。バレンタインは後日、アタリのブッシュネルに、こうこぼしたという。

「あんな人類の反乱者みたいなのを、なんでよこしたんだ」

穴のあいたジーンズに裸足でバレンタインのところへ出向いたからだった。それは、カリフォルニアのどこにでもいるヒッピー的な若造そのものだった。

半面ジョブズは、つれないバレンタインを黙って見ている平凡な若造ではなかった。しつこく電話をかけ、ついにバレンタインから何人かのベンチャーキャピタリストを紹介してもらう。

そのうちの一人がマイク・マークラだった。マイクはプロセッサー企業インテルに勤め、ストックオプションで一夜にして大金持ちとなった人物で、ジョブズより一三歳年上だった。幸運だったのは、マークラはコンピュータの頭脳であるマイクロプロセッサの技術の可能性を正しく理解していたことである。開発製品のデモをジョブズに見せられたマイクは大いに気に入り、出資を決めた。

もしマークラがインテルに勤めていなかったら、ジョブズの開発製品の可能性を理解できず、出資はしなかっただろう。マークラの存在が、ちっぽけなベンチャー企業アップルを大企業へと成長させていくとは、そのときは当人たちも気づいていなかった。

こうして資金を得たアップルの広報宣伝は、他を圧倒するものへと成長を遂げていく。

アップルが成功のレールに乗るきっかけをつくったのは、トップに果敢にアタックするジョブズの厚顔無恥なほどの押しの強さと執念だった。ジョブズのこの性格はその後も変わることはなかった。ピクサーの買収においては、映画監督でピクサーの前身を所有していたジョージ・ルーカスをしつこく追い回しては交渉に引き戻すなど、その手腕をいかんなく発揮している。

＊

ジョブズは、キーマンにすさまじくアタックする。

ジョブズの行動は、一般のサラリーマンなら「こんな強引なことはムリだ」と尻込みするか、卒倒するかだろう。普通、見ず知らずの権力者や実力者に電話をかけるだけで、ひるんでしまう。そのうえ相手から「なんの用があるんだ。迷惑だ！」と怒鳴られでもしたら……結局、「恥はかきたくない」となって行動には移せない。

しかし、ビジネスでは、恥をかくことこそ新しいチャンスと出会う第一歩である。それをジョブズが証明している。

ちょっと恥ずかしくても、上司や先輩が居並ぶ会議の席で、思い切って手をあげ、意見を言ってみよう。「なんだコイツは」と無言の圧力を感じても、くじけてはならない。何度もくり返せば恥とは思わなくなる。やがて、黙って座っているだけの連中が無能に見えてくる。そうなればしめたものだ。

5章

楽観は考えなしだが、悲観は能なしだ

——ジョブズの「遠交」vs凡人の近攻

妥協で勝利は得られない

◎——こだわりは吉凶どちらをもたらすか

アップルに復帰した四〇代のスティーブ・ジョブズは、パソコン・iMacを世に出す一方、音楽プレイソフト・iTunesなどを成功させ、オーディオ事業という新ジャンルへの進出で業績を伸ばしていく。

その頂点がiPodだ。

ジョブズは「執念の人」だ。それが人間関係などに向かうと周囲を辟易させることもあるが、モノづくりに向かうとどうなるか。「ちょっといいもの」ではなく、「ものすごいもの」を目ざすことになる。

彼は携帯音楽プレーヤーに目をつけた。日本や台湾から数多く出ていた小型の音楽プレーヤーは、操作が複雑でめんどうだ。ジョブズから見ると、いずれも「クズ製品」であり、まるでこの分野をアップルで総取りしてくれ、と言っているように思えた。

アップル出資のゼネラルマジックや、フィリップスなどで技術者を務めた敏腕のトニー・ファデルを加えたアップルのチームは、ジョブズから、二つの注文を出された。

①説明書なしで簡単に使うことができる独創的な携帯音楽プレーヤー

②なんとしても翌年のクリスマスシーズンに間に合わせる

限られた時間の中で、高性能で小型のMP3《エムピースリー》プレーヤーをつくる。それは非常に難しい課題だった。だが、ファデルらは、開発を担当する会社ポータブルプレーヤーと全力で応えようとした。

ジョブズも、このプロジェクトのデザインと使い方には深く関わった。

「曲を出すのに三回もボタンを押すなんてダメだ」と、だれもが簡単に使えてすぐに音楽が鳴り出すことを要求した。

「音量が足りない。音のシャープさが不十分だ」とも言った。音に対するこだわりは若いときからのものだった。

「メニュー表示がのろい」と、アップル製品に一貫する「使いやすさ」(easy to use)の哲学を、より濃く引き継ごうとした。

毎日、改良項目の連絡が来たという。時間不足の中で、厳しさは増すばかりだった。ジョブズが細部にこだわればこだわるほど、結果は明と暗の両極端に分かれる。世間の賞賛を浴びるか、赤字と罵声《ばせい》の餌食《えじき》となるか。

今回は、いいほうに進んだ。

二〇〇一年一〇月、一カ月前の同時多発テロの衝撃が残る中で、アップルはiPodを発表した。発表会では報道関係者の「なんでアップルが音楽プレーヤーなんかを」という声や、「これでアップルはだめになる」といった極端に悲観的な声まであった。だが、ジョブズがこだわった「分厚い説明書不要で、一〇〇〇曲を超える音楽が保存できる小型大容量で、音楽の楽しみ方を一変させるほどのすごい製品」は、予想以上の快走を始める。

◎——ゲイツはジョブズよりなぜ金持ちなのか

アップルは、「バージョン1・0の製品は懸命に出すが、バージョン2・0の製品が出てこない会社だ」とよく言われていた。

世の中にないものを出す創造的作業、つまりバージョン1・0には全力を傾ける。だが、改良や品質改善といった創造的でない作業、つまりバージョン2・0以降にはエネルギーの傾注を怠る。そうやって他社にまねされ、おいしいところを持っていかれた事例が多くある（なお、これはウェブ2・0とはまったく違った意味なのでご注意を）。

マッキントッシュも初代バージョン1・0で燃え尽き、改善、改良のバージョン2・0が遅れて販売不振を招いた。

また、独創的なOS「マックOS」は、マイクロソフトのウィンドウズにまねされ、あげくにシェアまで総取りされるという致命傷を負っている。

企業には得意と不得意の分野がある。

たとえばビル・ゲイツのマイクロソフトはバージョン2・0が得意だ。ウィンドウズは、ウィンドウズ95を一九九五年に出して以来、いくつもの新バージョンが出たが、どれも大局的には同じである。新技術は生み出されていない。「マイクロソフトは九五年の製品をマイナーチェンジだけして一三年も売り続けている」と評する人も少なくない。

しかし、バージョン2・0という「改善」にエネルギーを費やすマイクロソフトは世界一のソフトウェア企業となり、ゲイツは一三年連続で世界一の金持ちとなっている。

アップルがマイクロソフトから学ぶべきは、技術ではなく、バージョン2・0指向の経営スタンスだろう。まあ、アップルの連中は決してマイクロソフトのまねなどしないが。

◎――iPodが売れた本当の理由

iPodは、幸いにもアップルの悪しきDNAを継がなかった。発表からほどなくウィンドウズ版を出し、またたく間にマック版以上のセールスを記録した。

この戦略こそが、iPodブームを本物にしたポイントだ。

二〇代のジョブズであれば、ウィンドウズ版のiPodなどはつくらなかったはずだ。ビル・ゲイツを大嫌いだったからだ。そうしてみると、ジョブズ自身もバージョン2・0に進化したのかもしれない。

さらに音楽配信サービスのiTMSを開始したことで一大ブレークが訪れる。聴きたい音楽を、レコードレーベルも機器の容量も気にしないで簡単にダウンロードし、いつでもどこでも聞ける。ハードのiPod、ソフトのiTunes、そして音楽配信のiTMSが三位一体となったことで、世界中の音楽ユーザーが飛びついた。

パソコンメーカーがつくった携帯音楽プレーヤーが、日本のソニーや松下を尻目に業界標準になった。単価二万円の製品が、単価二〇万円のパソコンを販売していた会社の経営を立て直したのだ。

ところで、「Wag the dog」という表現が英語にある。本末転倒という意味だ。犬が尻尾を振っている様子を、尻尾が犬を振り回していると見誤ることに由来する。ビジネススクールでは「Wag the dog」を、失敗するビジネスモデルの一つだと教える。単価の安い商品が、その一〇倍の単価の製品を主力とする事業を救うことは決してない。

iPodのような成功は稀少例だ。ビジネススクールでは、そんな天才だけにできるスーパープレイは横目で参考にするだけである。教えるのは凡人にもできるナイスプレイだけだ。大リーグのイチローの打ち方ではなく、高校野球の送りバントが教科書である。

しかし、ジョブズには凡人のナイスプレーなど眼中にない。iPodという尻尾を振ることで、アップルという大きな犬を振り回し、ビジネスの常識をくつがえしたのである。

＊

「iPodは、なぜ日本のソニーや松下から生まれなかったのか」という疑問を何度も聞かされた。たしかに、アップルはパソコンメーカーだ。オーディオ製品なら、世界中で一億台以上売れ、辞書にまで載っている「ウォークマン」を生んだソニーが、先んじてつくって当然だと思える。松下しかりである。

いろいろな解釈があるが、私は経営者の力量の違いだと断言したい。

すごいモノを生み出すには、現場の「ノー」を受け取らない鬼軍曹的な管理職が必要である。現場の「できないコール」に耳を傾けてしまうやさしい管理職は不要だ。常識の限界で立ち止まっている部下には、背中を蹴り飛ばすことだ。

たとえば本田宗一郎は「『常識』は人間が考えたこと。それを疑って打ち破っていくのが進歩だ」と言い、ときには部下に鉄拳を見舞っていた。

また、目標は大きく、具体的に示し、実現方法は部下に任せることが重要だ。

ホンダは、小さな二輪車メーカーだったとき、マン島のオートバイレースに参戦する大目標を掲げた。続いて、周囲に大反対されながら二輪車から四輪車へ進出すると決断する。さらにはF-レースに参戦して優勝するという目標を打ち出した。本田宗一郎が掲げた大目標を、部下が能力の限界に挑んで達成していったのが、ホンダの歴史といえるだろう。

ソニーの盛田昭夫は、銀座にソニービルが建つ一年前に、広報部長にこう目標を語った。「一年たったとき、東京のどこからかタクシーに乗って、ひと言『ソニービル』と言うだけで運転手が連れて行ってくれるようなPRを考えろ」と。そして、その実現方法は部下に任せたのである。

「自分のやり方」でなく「最高のやり方」を選べ

◎――ジョブズがインドで考えたこと

アップルの共同創業者でエレクトロニクスの魔法使いと呼ばれたスティーブ・ウォズニアックの会心の作は「アップルII」である。

二〇代のジョブズはこの開発に際しても、とことんこだわった。

①静かなマシンであること
②ハンダ付けラインがまっすぐであること

勤めていたアタリを辞めたジョブズはインドを旅行し、精神世界や禅、瞑想に興味を持つようになった。そして静寂が重要であり、机の上でぶーんという大きな音を立てない静かなパソコンが売れると考えた。

パソコンが出始めた時代、そんなことを気にする人はいなかった。そもそもパソコンは熱源のかたまりのようなものだ。ファンで冷やさなければ正常に作動しなくなる。ファンは騒音を生む。ファンをなくせばたちまち静かになるが、そうするには従来とは違うタイプの電源が必要だった。あいにくそんな電源は存在しなかった。

なんとしても静かなマシンをつくりたかったジョブズは、電源設計ができそうな技術者をアタリの仲間から探し当てた。彼は一日二〇〇ドルの報酬を要求した。ろくにお金がないのに、若きジョブズは「言い値でオーケーだ。問題ないよ」とだまして設計を任せた。

技術者は数週間、夜も昼も週末も新型電源開発に打ち込み、ついに小型で軽量、熱の発生の少ないスイッチング電源をつくり上げる。これによってコンピュータケースの小型化と、ファンレスの静かなパソコンが可能になったわけだから、ここでのジョブズのこだわりは、電子機器の世界にそれなりの変化をもたらしたと言えなくもない。

◎——独創は「とことん」から生まれる

商品の根幹や仕事の大局に関わることであれば、執拗なこだわりも、それなりに役立つ。だが、ジョブズのこだわりは、だれも気にしないようなところにまで及ぶ。あるとき、とことんこだわったのが、完璧なハンダ付けラインの実現だった。

一九七七年、西海岸初の大規模トレードショー「ウェスト・コースト・コンピュータ・フェア」のアップルのブースに並んだアップルIIの仕上がりは、実に美しいものだった。実は、前日に届いたコンピュータケースは、なんとか期日に間に合せた乱暴なつくりで、ジョブズが許すはずもなく、技術者たちは懸命に紙やすりで磨き上げ、ペイントをやり直したのだが、来場者を驚かせたのは、ケースの美しさだけではなかった。ケースの中にみごとに納まっている六二個のチップとICを詰め込んだマザーボード。それに加え、ハンダ付けラインがすべてまっすぐに仕上がっていたことだった。

電気回路設計者がもっとも注意を払うのは、設計通りに性能が出るかどうかだ。ハンダ付けラインで性能が変わるわけではない。ラインをまっすぐにするのはよけいな時間をとるムダだ。そもそもケースを開けなければ見えない。

しかし、当時はマニアックな人たちが市場の中心だったので、アップルIIは大評判となり、アップル成長の原動力となる。ただし、ジョブズの独りよがり的なこだわりが販売にどれだけ貢献したかは定かではない。

その後もジョブズはさまざまなことにこだわった。その不可能な要求は、ときに才能ある人たちのやる気を喚起し、ときにプロジェクトを台なしにした。

性能と価格が重視され、スタイルにさほどの意味を見出さない市場においては、ジョブズのこだわりはシェアを狭めることがあった。たとえばネクストのネクストコンピュータは、ジョブズがスタイリッシュな外観にこだわりすぎた。フロッピーディスクドライブをなくして、まだ市場で利用率が低い光磁気ディスクのドライブを選択するなど肝心の技術的な選択を誤り、失敗の憂き目にあっている。

＊

本田宗一郎氏が「独創的な新製品をつくるヒントを得ようとしたら、市場調査の効力はゼロとなる」と言っている。

大衆は創意を持たない批評家だ。企業は、作家でなければならない。自分で発想せず、大衆への市場調査に発想を求めたら、企業は作家ではなくなる。

大衆が絶賛する商品とは、大衆がまったく気づかなかった楽しみを提供する独創的なものだ。市場調査に頼って商品開発を進めると、「ちょっといいもの」で終わる。大衆が手にしてはじめて「あっ！　これがほしかったんだ」と気づくような「どこにもないもの」は、市場調査からは決して生まれない。目の前に見える需要を追うのではなく、「自分たちが需要をつくる」ことが、これから、より強く求められている。

お金以外のプラスで相手を揺さぶれ

◎――ジョブズの音楽業界説得術

スティーブ・ジョブズのカリスマ性が強固な信念の炎に包まれるとき、不可能な交渉は可能になる。

音楽配信サービスｉＴＭＳ事業がそうだ。音楽の大手五社であるソニー、ワーナー、ユニバーサル、ＥＭＩ、ＢＭＧすべての協力を取りつけ、業界常識をくつがえした。

ｉＴＭＳ以前から、インターネットでの楽曲の交換やダウンロードは頻繁に行なわれていたが、ほとんどが違法で、音楽業界の大問題となっていた。

音楽業界の収益はＣＤの売上で支えられている。しかし、ファイル交換ソフト技術を使えば、ユーザーは違法だがタダで音楽をダウンロードできる。こうして、音楽会社は一〇パーセント近くも売上がダウンし、ミュージシャンには一円のお金も入ってこない悲惨な状況になっていた。これは多大な脅威だった。音楽業界は、さまざまな手を打った。だが、インターネット技術の発展がいつでも先を行き、一つ抑え込むと、つぎのもっと悪質な違法技術が登場するというイタチごっこに陥っていた。

ジョブズが足を踏み入れたのは、こうした違法行為が堂々と行なわれている最中だった。

iTMS実現の最大の壁は、技術ではなく、大手音楽会社の協力を取りつけることだ。彼らは激烈に競争し、日々売上を競うライバルである。提案の同じ俎上《そじょう》に五社を乗せ、あまつさえ合意させることなど不可能だった。日本とアメリカのプロ野球を一緒にして新リーグを結成するようなものだ。

ジョブズはその不可能な交渉に乗り出した。そして、業界を驚かす「大手五社の新リーグ」を結成したのである。

音楽というコンテンツの供給を受ける側は、いつも弱い立場だった。iTMSは、その力関係を逆転させた。コンテンツの供給を受ける側がはじめて強い立場に立ったのだ。

音楽業界の力学さえ変えたiTMSの交渉のこまかい経緯は、まったくと言っていいほど表に出ていない。ジョブズがどのような提案をし、音楽会社を説得したかは不明だ。

だが、ソニー・ミュージックエンタテインメントのCEOアンドリュー・ラックが、

「ジョブズが話し始めてから、アップルにライセンスをしようと心を決めるまで、一五秒もかからなかったよ」

と言っているほどだから、ジョブズの提案はよほど魅力があったのだろう。なおかつ、熱意やカリスマ性が彼らを圧倒したと考えられる。別の関係者は、こう表現してもいる。

「ジョブズは、音楽業界にズカズカとやってきて、いきなり胸ぐらをつかみ、怒鳴り散らし、帰っていった」

こんな乱暴なヤツはそれまで音楽業界にはいなかったので、あっという間に虜になったトップもいたらしい。

ジョブズは音楽会社のトップだけでなく、音楽グループU2のボノなど、トップミュージシャンたちにも直接会って説得していった。その熱意とカリスマ性は、魔法のように人を惹き込んで、音楽界でも威力を発揮した。人々は、「こいつと一緒に新しい音楽ビジネスを創っていくんだ」という気持ちになったのだろう。

◎――現実的な答えには常に力がある

ジョブズが音楽業界人たちに受け入れられたのは、知的所有権の大切さをわかっていたせいもあるだろう。

アップルで開発された新技術は、知的所有権で守られなければ世に出せない。知的所有権をめぐっての法廷闘争も体験したし、知的財産を生み出す大変さもわかっていた。

また熱狂的な音楽ファンで、ミュージシャンのクリエイティブの理解も深かった。それだけに、音楽ファンに受け入れられ、レコード会社やミュージシャンも妥当な対価を得られる理想的なシステムを本気で願っていたのである。

余談だが、ジョブズは若いときは、違法行為で金儲けをしていたことがある。

一九七〇年代初頭は、ベトナム反戦運動がアメリカ全土を覆い、政府権力への疑念と反発が強まっていた。そんな雰囲気の中、一六歳のころのジョブズは、友人になっていたスティーブ・ウォズニアックをたきつけて、AT&Tの電話システムをごまかす装置「ブルーボックス」をつくり、それで商売までやっていた。ウォズニアックが四〇ドルでつくったものを、ジョブズが売る。価格は相手次第だ。学生には一五〇ドルだが、お金を持っていそうな客には三〇〇ドルで売っていた。

ユーモア好きなウォズニアックは、ブルーボックスを駆使して「自分はキッシンジャー国務長官だ」とウソをついてバチカンにまで電話をかけている。ローマ法王につながりかけて、あわてて切ったという。「二人のスティーブ」は、そんな遊びに興じる若者だった。そんな楽しい時間もやがて終わる。AT&Tが、不正使用の取り締まり強化に乗り出してきたのだ。さらにある日、ピザレストランの駐車場でブルーボックスの商売をしていたジョブズは、銃を突きつけられるという怖い経験をする。

これがきっかけとなってか、やがてブルーボックスの世界から手を引いた。

iTMSは、違法行為を体験したジョブズが、違法行為を減らしつつ、音楽ファンも音楽業界も満足させるという二律背反の命題の現実的な答えを提示したものだった。

iTMSは、iPodとつないで音楽をダウンロードする。iPodに海賊コピー対策の技術を盛り込んでいたことが、大手音楽会社を納得させる重要な武器となっていた。ジョブズは「そうすれば、連中は交渉のテーブルに前向きに座る」とすでに読んでいたわけだろう。

◎──なぜジョブズは人任せを極端に嫌うのか

ジョブズはこの交渉を、すべて自分で行なっている。

通常、こうした交渉はCEO間で「一緒にやりましょう」と握手をし、そこから先は部下が詰める。だが彼は、大まかな合意を引き出しただけでなく、こまかい詰めもすべて自分で行なっている。

スティーブ・ジョブズの下で働くのは大変なことだ。忠誠と能力が要求され、彼のメガネにかなわないと、あっという間に切り捨てられてしまう。にもかかわらず、なぜ多くの有能な人間がジョブズと働きたがるかと言えば、

①ジョブズと一緒なら、どこにもない「ものすごいもの」を生み出せる気がするから

②その障害はジョブズがみごとなくらいに取り除いてくれるから

という二点に集約されるだろう。

特に②の交渉に関しては、不可能に見えれば見えるほど他人任せにしない。みずから乗り出してものにしてくる頼もしさだ。

思い起こせば、赤字続きのピクサーがはじめてディズニーと契約を結んだときも、ビジネスに行き詰まったネクストをアップルに売却したときも、映画『トイ・ストーリー』の成功を受けて、ディズニーに不平等契約の見直しを求めたときもそうだった。

いずれも、巨大な敵をものともせずに挑みかかる野獣ジョブズがいたから成し得た逆転満塁ホームラン級の交渉だった。

彼には「なんとしてもこの契約をものにする」という異常なほどに猛烈な意志と信念がある。それがあるから、交渉において高飛車、無慈悲、そしてタフであることができる。妥協的な好人物では、「創造的交渉」はできないのだ。

＊

ある経営者が、こんなことを言っていた。

「世の中には、トップにしかできない決断や交渉がある。にもかかわらず、全部を社員任せにして、自分はなにもしないトップが少なくない。神輿《みこし》に乗っていれば担ぎ手が鎮守《ちんじゅ》の森に連れて行ってくれる時代はとっくに終わっている。なのに、それに気づかないようでは、トップの資格がない」

トップにしかできないこと、トップだからこそできることがある。それをしないトップに率いられた会社は、どんなに現場が頑張っても、成長に限りがあるだろう。

スティーブ・ジョブズは「この交渉はなんとしてもものにしたい」となれば、いかに困難でも、みずから乗り出し、みずから交渉に当たる。必要な武器も自分で考え、自分で準備する。交渉が優位になるはずだ。逆に言えば、そこまでの覚悟と自助努力があって、はじめて難交渉にも勝機が見出せるのだ。

「しなかったこと」を強調せよ

◎――「まるで高給を嫌がっているかのようだ」

「大金を稼ぐためにアップルに復帰したわけではない。アップルに戻ったのは、自分のつくった会社が倒産の危機にあるときに、なにかできることがあれば、と思ったからだ。無報酬でもよかったと思っている」

あるインタビューで「なぜアップルから一ドルの年収（それさえも家族の社会保障のために必要だという理由で受け取っている）なのか」という質問に対し、スティーブ・ジョブズが答えたものだ。

復帰にあたってアップルが示した条件は、すばらしいものだった。前にふれた通り、現金三億七七五〇万ドルと、アップルの株式一五〇〇万株。これでネクストを買収する。現金は、ネクストの出資者から株式を取得する費用。アップルの株がジョブズの取り分だ。

しかし、ジョブズは受け取らなかった。そればかりか、以後も取締役会からのたび重なる給与の増額提案や、アップル株の受取依頼もすべて拒否している。

二〇〇一年一月になってようやく態度を変えた。二年半の間に、アップル株の時価総額が二〇億ドルから一六〇億ドルに上昇したことへの感謝として取締役会から贈られた一〇〇〇万株のストックオプションと、ビジネス用ジェット機を受け取ることに同意したのだ。

その間、アップルの株を受け取らなかったことによるジョブズの逸失利益は、一〇億ドル（約一一五〇億円）にものぼると言われている。

ジョブズはアップルだけでなく、どの企業からもほとんど報酬を受け取っていない。ネクストからは給与をもらっていなかった。ピクサーでは、年間五〇ドルだったり、ゼロだったりした。ピクサーが買収されることで就任したディズニー取締役としても、年間六万五〇〇〇ドル（約七五〇万円）の報酬を返上、無報酬の立場を貫いている。

アメリカの経営者としては実に珍しい。

ＩＢＭを改革し、よみがえらせたルイス・ガースナーは、ストックオプションなどを除いても約一二億円の年俸をもらっていた。ゼネラルモーターース（ＧＭ）会長リチャード・ワゴナーは、経営不振でリストラの真っ最中である二〇〇五年でさえ約六億円ももらっている。アメリカのCEOは大きな権限を持ち、責任も重い。その代わりに、報酬も何億円、場合によっては何十億円と莫大だ。ジョブズのように業績を伸ばし、株式の時価総額を引き上げようものなら、多額のボーナスやストックオプションを受け取るのが当たり前になっている。

ましてジョブズは超優良企業ピクサーの創立者であり、iPodのような世界的大ヒットを生み出したアップルのCEOだ。どれほど高額な報酬を要求しても、どこからも文句は出ない。にもかかわらず、報酬に興味を示さない。まるで、給与を受け取ることを嫌がっているかのようだ。

◎――赤字に囲まれてジョブズがしたことは……

「私が二三歳のとき、純資産は一〇〇万ドルであった。二四歳で一〇〇〇万ドルを超え、二五歳で一億ドル（約二二〇億円）を超えていた」

ジョブズの言葉だ。それも報酬を受け取らない一つの理由ではあろう。

一九七六年に二一歳のジョブズが、フォルクスワーゲンを売ったわずか一〇〇〇ドルの資金で、スティーブ・ウォズニアックとともに創立したアップルは、四年後の一九八〇年には株式上場を果たしている。この時点で二五歳のジョブズの資産は、一億ドルどころか二億一七五〇万ドル（約四八〇億円）ともいわれ、自力で財を成した最年少の大金持ちとなっている。

その後、アップルからの追放、ネクストの不振、金食い虫ピクサーへの投資などにより、さすがの大資産も残り数千万ドル（何十億円だが、ジョブズにとっては「わずか」だ）に追い詰められる。

事業をなんとしてでも成し遂げるんだというジョブズの桁違いの執念の片隅には、毎年何十億円も減っていく資産への嘆きもあったことは想像にかたくない。

しかし、一九九五年のピクサーの上場により、再びビリオネアの椅子に座ってからも報酬を受け取っていないのだ。資産の多寡だけが彼を動かしているとは考えにくい。

三〇歳の若さで自分がつくったアップルを追われたとき、ジョブズはこう言った。

「僕はまだ三〇歳。まだまだ、成し遂げたいことがあるのです」

事業撤退しか現実的な選択肢がなくなるほどネクストやピクサーの経営が悪化しても、絶対に撤退しなかった理由はこれだ。朝、目を覚ましたとき、経営する会社がない。ビジネスの難しい意思決定をする必要がない。そんな状態を想像すると、みじめで寒々として耐えられないからだ。

普通は、経営する会社がピンチに立ち、だがまだ生活を楽しむ十分な資産が残されているとすれば、傷が深くならないうちにリタイアの道を選ぶはずだ。ジョブズのように、下手をすれば全資産を失なう恐れさえある道を選択するのは、よほどの人物だろう。人はこれを鬼と呼んだり、野心家、はたまた神とも呼んでみる。いずれも俗人による呼び名だ。ジョブズの鋭利で巨大な事業願望は、普通の人の理解を超える。

◎――お金より名誉より人をよく動かすもの

考えれば、アップルへの復帰も同様だ。

アップルを追放されたあと、ジョブズはピクサーという金の卵を抱えた。対してアップルは不振にあえぎ、売却の噂が絶えず、倒産の恐れさえあった。あえてアップルに戻る必要などなかったはずだ。

にもかかわらず報酬一ドルの暫定ＣＥＯとして復帰したのは、お金以外の強い動機によることがわかる。

ある年のマック・ワールドでの基調講演で、こんなことを言っている。

「毎日、会社に行っては、アップルでも、ピクサーでも、世界中でいちばん才能のある人たちと仕事をしている。世界一の仕事だ。でも、この仕事はチームスポーツなんだ」

そう。ジョブズにとって大切なのは、必ずしもお金や名誉ではない。才能のある人たちを集め、ときに怒らせ、ときに士気を鼓舞しながら、世界をあっと言わせるようなものをつくり出すことだ。宇宙に衝撃を与えるようなものを創造する。これこそがもっともやりたいことであり、得意なことであり、なにより喜びを感じることなのだ。

あり得ない話だが、もしビル・ゲイツから史上最高の高額給料で「マイクロソフトの経営を任せる」と誘われたら、どうするだろう……そう考えたら、ジョブズの性格と生き方がわかる。

絶対に「イエス」と言わない。

「ノー!」と怒鳴り、ゲイツを口汚くののしって席を立つだろう。

お金を稼ぐことばかりを考えている人間には、世界を変えるものは決してつくれない。お金の力でなんでもできるように見え、本人もそう錯覚するかもしれない。だが、マネーゲームの勝者は虚構の人形にすぎない。

無能な経営者はお金に振り回され、有能な経営者は、逆にお金を振り回すのだ。

スティーブ・ジョブズは、コンピュータ業界、映画産業、音楽業界というアメリカの誇る三つの産業を揺り動かし、世界中の人のライフスタイルに影響を与えた。それができたのは、お金よりも、「世界を変える」ことに、すべての情熱を注ぎ込んだからである。

＊

お金は手段であって目的ではない。お金は、自分の夢を実現するために使うものだ。だが、凡人は「お金を貯める」という手段を、目的と勘違いすることがしばしばだ。

松下幸之助は「ダム式経営」という言葉で、無借金経営の重要性を説いている。お金が不足し、銀行から借りることになれば、やりたくない仕事をやらされたり、本業に力を注ぐことができなくなったりしかねない。自己資金を持つことで、「事業の自由」が保障されるのだ。

教育機関でも、手段としてのお金を活用している。たとえば英国のケンブリッジ大学は、学校経営のために不動産業を営んでいる。政府に資金援助を求めるよりも、自分たちで十分な資金を持つことで、「学問の自由」が保証されるという考えである。

お金が儲かることとは、つぎの事業資金を得たことである。それはエキサイティングなビジネスを創造的に進め、成功へのさらなる機会を手にすることである。

「細部に口を出すリーダー」の功罪

◎——現実を先んじて制するには

一九九五年、長編アニメ映画『トイ・ストーリー』公開を間近に控え、四〇歳のスティーブ・ジョブズは、ピクサーの株式公開の準備を進めていた。

『トイ・ストーリー』が成功するかどうかは、まだわからない。悲惨な結果に終わると予測する人もいて、意見は分かれていた。ピクサーの将来もはっきりしない。ディズニーから制作費は投入されているが、実績がない。そんな段階で株式公開を決め、幹事会社探しに取りかかったのだ。

ジョブズは常に現実を先んじて制するか、もしくは無謀である。

ニューヨークの有名投資銀行などからは、「儲けの出ている会社でなければ」と相手にされなかった。安定した利益を数年にわたって出すことが株式公開の条件だった。

だが、常識は変化する。創業わずか一年のネットスケープ・コミュニケーションズが株式公開を果たしたのである。ネットスケープは、スタンフォード大学で教鞭《きょうべん》をとっていたジム・クラークらが設立。インターネット閲覧ソフトをいち早く開発し、急成長を遂げていた。いわゆるドットコム・ブームの入口をジョブズはくぐろうとしていた。それがインターネット企業を率いてではなく、映画制作会社を従えてであったことは不思議でもあるが、こうしてピクサーにもチャンスが生まれることになった。

ジョブズは幹事会社を地方の投資銀行に変え、サンフランシスコの銀行ロバートソン・ステファンズを選ぶ。大きな理由は、地方の投資銀行のほうが、陣頭指揮をとりたいジョブズに好都合だったからだ。

若いときも、そして四〇代となっても、ジョブズは、自分がリーダーであること以外の状況は我慢できなかった。なにかにつけて陣頭指揮をとりたがる。ときにそのリーダーシップは、横暴という迷惑に形を変える。

たとえばピクサーでイベントを開催したときに、どの種類のミネラルウォーターを配るかといった雑用レベルのこまかいことに、気がおかしくなったのかと思うほどこだわった。ああしろ、こうしろと、わめきちらしてまわりを仰天させた。

また、自分がさほど得意でもない部分にまで関わろうとする。その結果、順調なプロジェクトが混乱に陥ることがよくあった。いわゆるマイクロ・マネジメント（ささいなことまで口やかましく管理する）の典型なのだ。

ピクサーの中心人物ジョン・ラセターは、まったく違っていた。改善したほうがよいと思えば、ためらいなく手を加える、どんなに手間や時間がかかってもだ。ここまではジョブズと似ている。しかしラセターは、怒鳴ったり現場を怖がらせたりすることで自分の意思を実現するのではない。担当者が奮い立ち、みずから困難に挑む勇気を引き出す。そんな人間心理術を知っていた。

みんなラセターと仕事をしたがる。社内の彼に対する信頼は非常に厚かった。ピクサーの成功は、ジョブズがほとんど顔を出さず、ラセターらが自由にやれたからなのだ。だが、これはあくまでも例外だ。ほとんどの場合、ジョブズはこまかいことに口を出し、現場に恐怖と混乱をもたらすのだった。

ただし、ピクサーの株式公開に関しては、ジョブズの強気の波長と幸運の波が一致した。幹事会社の選任、公開のタイミング、公募価格などのすべてをジョブズが決め、いずれもうまくいった。まるで何十年に一度、月と地球と太陽が一直線に重なる日食のようだった。

◎――データに縛られない効用

株式公開の時期は『トイ・ストーリー』公開の一週間後だった。

通常、株式を公開する企業は全米の主要都市をまわり、各地の証券会社や投資銀行への売り込みを行なう。だが、ピクサーの場合、ディズニーが『トイ・ストーリー』のすさまじい上映キャンペーンを行なってくれたおかげで、それは不要だった。

興行成績も、公開から一週間後に、全米で二九〇〇万ドル（約三三億円）、最終的には世界全体で三億五〇〇〇万ドル（約四〇〇〇億円）というみごとな数字だ。ピクサーの過去一〇年間赤字というさんざんな経営状態など、もう問題ではなかった。

勢いを駆ったジョブズが決めた公募価格は、二二ドルだった。投資銀行は「高すぎる。せいぜい一二ドルから一四ドルにすべきだ」と言った。だが、ジョブズは専門家の意見に納得しなかった。

こういうときのジョブズは、だれの説得も受け入れない。合理性や過去のデータなどに縛られることなく、自分の直感と信念を押し通す。

結局、公募価格は二二ドルと決まった。

しかし、本当の勝負はこれからだ。高い価格には、リスクもつきまとう。投資家が、大ヒットは出たが赤字続きだったピクサーという会社に、それだけの価値を見出す保証はない。この価格での買い注文が少なければ株価は下落し、ジョブズのもくろみは敗退する。

専門家の意見を退けたジョブズの読みは、みごとに当たった。

取引開始とともに株価は上がり始め、最初の三〇分で四九ドル、取引終了時は少し下がって三九ドルになったが、スティーブ・ジョブズは、一瞬にしてビリオネアになった。これこそアメリカンドリームだ。ピクサー創業に関わったエド・キャットムル、ジョン・ラセターなども数千万ドル相当の株を持つことになった。

*

はたしてジョブズは、ただ運がよかっただけだろうか。そうではない。「まえがき」でも少しふれたが、彼の人生は、むしろピンチの連続だったといえる。

大学は中退した。会社に勤めたが、すぐに辞めてしまう。なんとか創業したアップルも、自己中心的な行動が原因で、なんと追放されてしまう。アップルから引き抜いたメンバーでつくった新会社ネクストも、発想が先を行き過ぎて赤字が続く。アニメ制作会社ピクサーを手に入れたが、またも赤字で、リストラまでやるハメに陥った。

ようやくアップルに復帰をしたものの、ここも赤字で、ブランド力も低下していた。パソコンiMacをヒットさせたが長くは続かない。「よし、つぎは携帯音楽プレーヤーだ」と思いつくが、開発できる社員は、アップルにはいない。それでもなんとか開発したiPodを、専門家はみんな「ダメだ」とこき下ろした。音楽配信サービスiTMSの立ち上げには、大手音楽会社の強者《つわもの》たちとのタフな交渉が待ち受けていた。

このようなピンチ続きを、ジョブズは決して嘆かなかった。むしろ「チャンスだ」ととらえ、すさまじい執念をもって要所要所の交渉を成功させた。それが彼の真骨頂といえるかもしれない。

ピンチは嘆くものではなく、乗り越えるべきものと考える人だけが、チャンスの入り口に立てるのだ。

6章

失敗と思わなければ決定的失敗ではない

——ジョブズの「リベンジ」vs凡人のリカバリー

一番いい待ち方は準備しながら待つことだ

◎──人員削減の直後に起きたこと

スティーブ・ジョブズとピクサーは、長編アニメ映画『トイ・ストーリー』の大ヒットにより、一躍ハリウッドの寵児となる。だが、その過程ではたび重なる事業売却、人員整理、企業売却の危機を経験した。

ジョブズがそもそもピクサーをほしいと思ったのは、ハードウェアに魅せられたからだ。CG専用にチューニングされ、緻密な画像を大量に記憶できるコンピュータに感動し、事業化したいと考えたのだ。

実際、このマシンは「ピクサー・イメージ・コンピュータ」と命名されて売り出された。販売促進にも多額のお金をかけている。しかし、専門的すぎて使い方が難しく、ほとんど売れなかった。

ジョブズがそんな紆余曲折をしている間、ジョン・ラセター率いるチームは、電気スタンドである母親と子供がゴムボールと戯れる様子をCGでほほえましく描いた短編アニメ『ルクソーJr』をつくり、アカデミー賞にノミネートされる。受賞は逃したが、確実に評価を上げつつあった。ただし、映画の完成度と会社業績は簡単には比例関係にならない。ピクサーの経営は低迷していた。

一九八八年春の月例会議で、ジョブズはピクサーの人員削減の決定を伝えた。当時、ジョブズの二つの会社であるネクストとピクサーは、ともに彼の個人資産でかろうじて支えられている状況であった。収入のない二人の放蕩《ほうとう》息子に仕送りを続けているようなものだ。会社存続のためには人員削減が必要である。アルビー・レイ・スミスも、エド・キャットムルも理解せざるを得なかった。だが、ショックだった。

このときジョブズは、いい意味のショックも彼らに与えることとなる。

人員削減の話が終わり、全員が沈鬱《ちんうつ》なムードに包み込まれ、ジョブズが「ほかにはなにもないね」と立ち上がりかけたときだった。「スティーブ、われわれはこれをやらなきゃいけないいんですが」と営業担当副社長が勇気をふるって説明し始めた。それは五カ月後に迫ったシーグラフというCG団体の年次大会で上映する予定の短編アニメ制作だった。

このとき、なぜかジョブズは黙って聞き、つぎに「絵コンテはあるのか」と尋ねた。絵コンテに大変感動したジョブズは、結局、数十万ドルもの出費を認める。全員が驚いた。その額は、たった今話した人員削減によって捻出した費用とほとんど変わりないからだ。なんのためのリストラかわからない。

だが、一見矛盾したこの決断は名作を生み出す。この結果制作されたのが『ティン・トイ』だったからだ。

この作品は、アニメでありながら、ブリキのオモチャとたわむれる赤ん坊が実写のように自然に動き、肌の感覚は本物のように柔らかかった。この作品がアカデミー賞を受賞し、ディズニーとの縁につながるわけだ。

◎──「つらいときこそ自分の価値がわかるんだ」

一九八九年、ついにジョブズはピクサーのコンピュータ事業部門売却を決意した。大好きなピクサー・イメージ・コンピュータは病院や医療関連研究所などには売れている。だが、しょせんニッチ（隙間）市場であり、投資に見合う収益が得られる見通しはなかった。ヴァイコムという会社に、スタッフ込み数百万ドルで売却した。事業を興し成長させることを生きがいとしているジョブズにとって、身を切られるほどつらいことであった。

こうしてピクサーに残されたのは、ソフト部門とアニメグループだけとなった。多額のお金を浪費する一方で、アカデミー賞を手にする力もあるというアンバランスな会社である。その後も状況はなかなか好転しなかった。

事業の将来は見えない。個人資産は減る一方だ。現実的に考えれば、ネクストともども会社を清算するか売却するしかない。実際、ピクサー買収の話が、「フォーチュン500」に名を連ねるような企業から二度も来ている。

なのにジョブズは、二度とも拒否している。

長年投資した金額すべてが補塡されない買収話だったという事情もある。それでも、現実を考えれば、たいていの人は喜んで売却に応じるはずだ。だがジョブズは、人員整理はしても、会社の清算や売却は拒んだ。オスカーに魅せられていたのか、敗北を認めたくなかったのか。理由は定かではないが、ある雑誌のインタビューでのつぎの言葉が、心情をよく表わしている。

「やりがいというのは、会社をつくったり、株式を公開したときだけに感じるものではないんだ。

創業は親になることと同じような経験だ。子供が生まれたときはそりゃあメチャクチャうれしい。でも、親としての本当の喜びは、自分の子供とともに人生を歩み、その成長を助けることだと思う。

ネットブームを見て問題だと思うことは、会社を始める人が多すぎることじゃなくて、途中でやめてしまう人が多すぎることなんだ。会社経営では、ときには従業員を解雇しなければいけなかったり、つらいことも多い、それはわかるよ。でも、そんなときこそ、自分が何者で、自分の価値はなんであるかがわかるんだ。

会社を売れば、大金が転がり込むかもしれない。だけど、ひょっとしたら自分の人生でもっと価値あるすばらしい経験をする機会を放棄してたのかもしれないんだ」

◎——土俵を降りたら少なくとも勝ちはない

ジョージ・ルーカスからピクサーを買収してほぼ一〇年目にあたる一九九五年、ジョブズは人生でもっともすばらしい経験をすることになった。ピクサーが制作した『トイ・ストーリー』が史上空前の大ヒットをしたのだ。

さらに、ピクサーの株式公開も常識をくつがえす大成功をおさめ、「ピクサーはつぎのディズニーとなれる」とまで言われる。

四〇代のジョブズは、輝ける栄光と名声を再び手にしたのであった。

いずれも、もしあのとき、戦いの土俵を降りて事業を清算か売却してしまっていたら、決して得られることのなかった栄誉である。

偶然なのか必然なのか。両方なのか。いずれにしても、どれほど厳しい状況にあっても、事業を決してあきらめなかったことが、最後の大勝負に逆転勝利できた最大の理由である。わずかな資産を残すより、血を流しながらでも自分のやりたいことを継続するという非常識なまでの執念と強気が大いなる成功をもたらした。

＊

負けが込んでいるときは、戦いの土俵から降りることも現実的な選択だと、世間では教える。傷口を広げないために「賢明な判断だ」と表現し、まわりも納得する。

だが、「あきらめない」という凡人にとっては賢明と思えない判断にも、勝機はある。最後の最後まで土俵から降りないとき、突然、道が開ける。そんな例が私たちの周囲にも少なからずあるはずだ。ジョブズも、ピクサーとネクスト社での「暗黒の一〇年間」の戦いで、それを証明してくれた。

信義違反さえ正当化する交渉術

◎──「お前なんか地獄に落ちればいい」

契約順守はビジネス界の鉄則である。スティーブ・ジョブズも、それは知っている。しかし彼は、契約書以上に大切なものがあることも知っている。自分に有利に交渉を進めることだ。

アップル創業当時、コンピュータプログラムのデータを保存するには、大型コンピュータが必要だった。データはリール式磁気テープに記録される。取り出すには、大型コンピュータに磁気テープを装着してダウンロードするのである。

お金のないアップルはこの大型コンピュータが買えず、コールというコンピュータ会社から、時間単位で借りていた。

あるとき大事件が起きた。プログラマーのウィギントンが新バージョンのプログラムを作成中、六週間分もの作業成果がシステムから突然消えたのである。コールのコンピュータセンターの定期バックアップ時に、作業ミスをしてしまったのだ。

取る方法は二つある。

①ゼロからプログラムをつくり直す

時間がかかる大変な作業だ。

②ダメになる一つ前にバックアップしたデータを磁気テープからダウンロードして使う

ウィギントンはこちらを選択した。「一つ前のバックアップテープをマシンにかけてくれ」と、コールの社長アレックス・カムラートに頼んだ。ところが、カムラートは拒否する。アップルが料金支払いを何カ月も滞らせていたためだ。

困ったジョブズは戦術を考えた。まずカムラートに電話し、こう約束した。

「アップルまで取りに来てくれれば、たまった料金を支払うよ」

そのときに大事な一言をつけ加えた。

「会社を出る前に、ウィギントンがすぐに作業ができるように磁気テープをセットしておいてほしいんだけど」

カムラートは了承し、大型コンピュータに磁気テープをセットして、車でアップルへ料金を受け取りに向かった。それと入れ違いに、コンピュータセンターにするりと入った人物がいた。近くで待っていたウィギントンだ。彼は必要とするデータのバックアップを素早くダウンロードし、終わったとたんにログオフして建物をサッと出ていった。要するに無断でコンピュータを使い、データを取っていったのだ。

まるで映画である。スパイや盗賊が、天井などからロープ一本でぶら下がって宝を盗み出すシーンのようだ。

一方、カムラートを出迎えたジョブズは、電話口での低姿勢な口調から打って変わって、

「小切手はない」

と言い放つ。それだけではない。さらに追い討ちをかけた。

「仕事を台なしにしたコンピュータに金なんか払えない」

信じがたいことに、こうまでののしった。

「お前なんか地獄に落ちればいい」

払うべきお金を払っていないのはジョブズのほうだ。まして「お金を払うから」と呼んでおきながら、平気で前言を翻す。とても並の神経ではできない。

カムラートは元ボクサーで、怒りっぽい。シリコンバレーの野蛮人だ。ジョブズは、や

せて菜食主義者で、運動なんかやったこともない。しかし、ここまでムチャクチャをされると、さすがの野蛮人カムラートも打つ手がなかった。小切手をもらうのをあきらめ、今来た道を帰るしかなかったという。

◎――「自分こそルールだ」

約束を平気でひっくり返すジョブズの性格は、アップルが株式公開するほどの企業に成長してからも変わることはなかった。

一九八二年、史上空前のコンピュータをつくろうとすさまじいスピードで仕事をしていた新製品開発チームは、壁にぶつかっていた。半導体メーカーVLSIに依頼していた高速チップが、期待通りに開発できなかったのだ。しかたなく、アップルの技術者であるバレルがつくったものを採用した。

だが、問題はVLSIで開発途中のチップをどうするかだった。

性能的にはバレルのものがまさっている。だが、VLSIでもテストチップが完成するところまで作業が進んでいる。しかもVLSIは、当初予算を五〇パーセントも超える開発費を投入していた。その上、ジョブズは二億五〇〇〇万ドルという仮契約書にサインしていた。

普通の企業なら、契約を守ってきちんとお金を支払う。天才ジョブズはどういう戦略を用いたか。まず「おたくのチップはもう使わない」と不採用を告げた。つぎに、わずか一〇万ドルで手を打つように求めた。

常軌を逸した減額だ。信義に反している。だがジョブズにとって、契約書になにが書かれていようが、自分を含め何人がサインをしていようが、なんの関係もなかった。結局、VLSIは契約を一方的に破棄したアップルに料金を支払わせるために、膨大な訴訟費用を使わざるをえなかった。

ジョブズにとっては、自分に不利な契約や約束は、無視したり、破り捨てたりすることができる都合のよいものだった。自分こそルールだ。

このすさまじい考えは、新たなビジネスでもマシンガンのように炸裂《さくれつ》していく。

◎──「負けるとまずい」とおびえるから負けるのだ

ジョブズらしいはったりと強気で成功した例の一つが、危機に瀕したネクストを背に、自分を追い出したアップルとの交渉を行なったときだ。

一九九六年、アップルの新社長に就任したギル・アメリオは、次世代アップルマシン用の新しいOSを求めていた。ウィンドウズマシンに押されて低下する一方のシェア挽回のためだ。しかし、社内での開発は難しく、いくつかの会社に打診をした。

その中には当初、アップルの元開発部長ジャン＝ルイの会社や、マイクロソフトまで含まれていた。

アメリオは、マイクロソフトとの契約だけは避けたいと考えていた。ゲイツが「引き換えにアップルの知的所有権をよこせ」と言うに決まっているからだ。さらに、アップルの社員もユーザーも、マイクロソフトとゲイツを地上でもっとも嫌っていた。アップルがビルゲイツにひざまずくなどおぞましく、非難を浴びることは明白だった。

ちょうどそのころ、ネクストから「OSを探していると聞いたんですが」という電話がアメリオにかかってきた。アメリオは、アップルを知り尽くしたジョブズに相談してみたいと考えた。ジョブズはアップルを訪問し、アメリオとソフトェウア担当重役エレン・ハンコックに、相手を魅了するセールストークを展開した。

まずはジャン＝ルイのOSを購入した場合の問題点を親身なフリで指摘した。つぎに、ソフトウェアのライセンスでも、会社の買収でも、どのような取引にでもネクストは応じる用意があると寛容で柔軟な姿勢を強調した。

ネクストは、経営が完全に行き詰まっていた。今回の商談を逃すととてもまずい。しかしそんな不安はスニーカーの底に押し隠し、おくびにも出さない。ジョブズは平然とプレゼンを展開した。

OSの選定は重大であり、アメリオ一人では決められなかった。アップル経営陣を前に、ジョブズとジャン＝ルイにプレゼンをさせることにした。最終決戦だ。

ここでもジョブズは圧勝する。顔を出せば勝てると思い込んでいたジャン＝ルイは明らかな準備不足だった。ピッチング練習を行なわずにいきなりマウンドに上がった投手のようだった。準備万端なジョブズのプレゼンは、アメリオの激賞を引き出したのだった。

＊

不利な交渉では、弱気の虫に特に気をつけるべきである。この虫が顔を出すと、強気に見せても、はったりをかましても、簡単に見破られる。効きが弱くなる。

弱気の虫を封じ込めるには、交渉の準備に全力を傾けることだ。交渉の成否は戦う前に決まる。あらゆるケースを想定しておけば、弱気の虫が顔を出す場所はなくなるものだ。

強さは速さから生まれる

◎――失敗して弱気になるのではなく、弱気だから失敗する

スティーブ・ジョブズは相手が不利な状況にいるときには徹底してそこを衝く。だが、自分が不利なときはどうだろう。

アップル時代の若きスティーブ・ジョブズが日本に来たときのことだ。

訪問先は事務機器メーカーのエプソン。目的はアップルとの提携を申し込むことだった。だが、慣れない日本で彼は大遅刻をしでかす。エプソン本社のある長野県諏訪市に向かう道が地震で通行止めになり、リムジンから電車に乗り換えた。しかし、電車も止まり、予定より何時間も遅れて到着することになったのだ。

エプソンの人たちは、何時間も待たされたにもかかわらず、ジョブズ一行を愛想よく迎えてくれた。そればかりか、社長みずから製品の紹介をしてくれた。すべてにまじめで、

礼を失することなど決してない日本企業の真骨頂だ。

だが、ここからはジョブズの真骨頂である。

本来、提携をお願いする立場のジョブズは、わずか一分間ほど話を聞いただけで、エプソンの社長に向かって「こりゃ、ひどいもんだ」と言い放つ。さらに「ほかにもっとましなものはなにかないのか」と言うや、会社をあとにしてしまったのである。

東京への帰路、エプソンとの提携を破談させたことを悔やむ様子もなかったという。

ジョブズが日本に提携先を求めたのには理由がある。

一九八四年、アップルはジョブズの自信作パソコンであるマッキントッシュの販売不振に頭を抱えていた。発売当初は全米の話題を集め、わずか一〇〇日で七万台を売った。だが、使えるソフトの少なさ、競合相手のIBMパソコンと比べたときの価格の高さなどがあり、以後は急速に失速した。数カ月後にはついに大手企業と戦略的提携を結ぶしか道がないところまで追い込まれていた。

ジョブズは、情報通信会社のAT&T、コカ・コーラ、巨大電機メーカーのゼネラルエレクトリック（GE）、そして自動車のGMとの販売協力まで模索した。しかし、いずれも提携には至らなかった。事務機器メーカーのエプソンなら相乗効果が期待できるのではと考えて日本を訪れたのであった。

エプソンとの提携を平然と破談にしたジョブズだが、陥っている現実が厳しいことに変わりはない。マッキントッシュの売上はますます低迷した。

ついに翌一九八五年、三〇歳のジョブズはアップルを追い出される。直感主義と自己中心的な行動が社内に不満と混乱の嵐を起こしてしまっていたからだった。

だが、彼は自己中心的で強気の態度を改める様子はなかった。その後もどれほど困った状況にあっても、自分から相手になにかをお願いすることはなかった。

強気な交渉が好きなアメリカ人でさえあきれるほど強引な交渉スタイルは、両刃《もろは》の剣《つるぎ》であり続けた。ときにジョブズをさらなる困難に追い込むこともあれば、ときに巨大な相手から驚くような成功をもぎとることもあった。いずれにしても、交渉におけるジョブズの軸が「強気」からぶれることがなかったのは事実である。

◎——強気の失敗例

宿敵マイクロソフトのビル・ゲイツを追い落とすチャンスを、強気すぎる交渉がわざわいして失なったことがある。一九八〇年代後半のことだ。

ジョブズ創業のネクストが開発したＯＳ「ネクストステップ」は、結局アップルが採用したのだが、その前にＩＢＭが関心を示していた。ＩＢＭは、ネクストステップの使用権を購入したいと申し入れた。

きっかけは、ワシントンポスト紙の中心人物キャサリン・グラハムが開いた誕生日パーティにジョブズが招かれ、ＩＢＭのＣＥＯジョン・エイカーズと出会ったことだった。大物政治家や世界的富豪がぞろぞろ集まるパーティの片隅で、ジョブズは「ネクストの開発している次世代ＯＳは、業界を驚かせるほどのものですよ」と礼儀正しい態度で、こっそりとエイカーズの耳にささやいたのだ。このことが発端で、ＩＢＭの重役からミーティングをやりたいと連絡が入った。

ネクストステップを技術的に検討したＩＢＭは、確かに自社製品をよりすばらしいものにできる強力なＯＳであると結論づけた。当時のネクストはハードウェア「キューブ」が思うように売れず、悲惨な状態にあった。それだけに、この申し出は最高の助け舟になるはずだった。

ところが、ここでのジョブズの強気は悪いほうに作用した。

彼は、自分を中心に世界は回っているとばかりに、強気のイスに座ったままで、ＩＢＭ

が用意した一〇〇ページを超える契約書をゴミ箱に捨てたのだ。そして、「オレと取引をしたいなら、せいぜい五、六ページのシンプルな契約書をつくってこい」と放言した。普通なら、これだけで破談になるだろう。だが、IBMはまるで日本企業のように紳士的だった。ネクストステップの優秀さを理解し、大人の礼儀をわきまえていた。怒って席を立つことなどはせず、その後も交渉を継続した。

その結果、ネクストの舞台裏で「倒産」の二文字がちらつき始めた瀬戸際で契約が成立、IBMから何百万ドルもの資金が入ることになった。

◎——強気もスピードと結びつかないと……

ところが、運命の女神は少しいたずらをする。

契約交渉の窓口を務めていたIBMパソコンの生みの親であるビル・ロウが突然ゼロックスに移ってしまったのだ。このため、ネクストに支払われたのは契約書に書かれた初期費用だけになった。結局、IBMパソコンにはビル・ゲイツがつくったOSが採用されることになる。

現在のウィンドウズだ。

ＩＢＭパソコンにネクストステップが採用されれば、巨額の金を長年に渡って生み出すはずだったが、その日が来ることはなかった。

ジョブズの強気が交渉をまとめる上で役に立ったのは確かだ。だが、あまりに強気すぎて契約に時間がかかった。そのために、ジョブズのネクストステップはＩＢＭパソコンに搭載されるチャンスを失ない、その座をビル・ゲイツのウィンドウズに奪われることになったのである。

もし、ＩＢＭパソコンにネクストステップが搭載されていれば、ビル・ゲイツは巨大なビジネスチャンスを失ない、その座をジョブズが占めていた可能性もあった。

ジョブズの強気が裏目に出てしまった大失敗であり、これも歴史のあやである。

＊

世間では、失敗によって弱点に気づき、それを反省することで進歩するのが一般的だ。だがジョブズは、自分の独りよがりで傲慢な弱点をまったく反省しない。強みだけをさらに研ぎ澄ませて進化し、成功へとひた走った。

このように、苦手を克服しようと努力するより、得意を伸ばすほうが強い武器となることは多いものだ。

場を変えることは立場を変えること

◎――誕生直後のｉＰｏｄの評価

今でこそｉＰｏｄは世界中で高いシェアを誇っているが、発売当初の評判はかんばしいものではなかった。なにより価格が高かった。ＭＰ３プレーヤーはすでに、大記憶容量の製品、小型の製品が市場に出ており、いずれもｉＰｏｄより安かった。

ｉＰｏｄは両方の機能を兼備していたが、価格の高さがネックになった。かつてアップルは、性能はすぐれているが、価格が高すぎるＰＤＡ（携帯情報端末）「ニュートン」で失敗をした。その二の舞になるのではという声さえあった。

しかし、ここはアップルが苦手としてきた少数の購買者が密接に影響し合う法人市場ではない。自信を持つコンシューマー市場だった。期待よりは二歩ほど下がった滑り出しだったかもしれないが、あきらめたり、戦線を縮小しようなどと考えるはずもない。

スティーブ・ジョブズと、ハードウェア部門責任者でネクスト時代から一緒に働いてきたジョン・ルビンシュタインは、矢継ぎ早に新製品を投入していった。

画期的だったのが、二〇〇二年七月に、ウィンドウズ版を発売したことだったのは前にふれた通りだ。小さな市場シェアのアップルユーザーだけでなく、世界中で圧倒的なシェアを持つウィンドウズユーザーを取り込み、その年のクリスマスシーズンには二〇万台を売るヒット商品に成長した。ヒットの旋風は、ファッションやスポーツ業界にも及んで現在に至っている。

各社が同様の製品をつぎつぎと投入する中、ビル・ゲイツも東芝と連携して本格参入を表明した。だが、今のところｉＰｏｄの牙城を揺るがせていない。

かつてゲイツはアップルの市場シェアを低下させる中心的役割を果たした。だが、それは戦場が法人市場だったからだ。

そこは、ゲイツのおもしろくもない製品を組織的にグイグイと売り込む手法が通用する、マイクロソフト得意の市場だった。

気まぐれで自由な一般消費者を相手とする音楽や映画のコンシューマー市場で、ゲイツは同じようにジョブズを逆転できるのか。

◎――「ひょっとしたら？」という魅力

パソコン市場におけるアップルのシェアは低い。アメリカでは五パーセント。世界となるとほんの三パーセントでしかない。

スティーブ・ジョブズはつぎのような答えでアップルの目ざすものを表現している。

「つまり、自動車業界のＢＭＷのシェアよりも高いってことだよね。メルセデスベンツよりも上だ。だれもＢＭＷやベンツが低シェアだから会社がなくなるとは思わないよ」

普通は、ただの負け惜しみと思われるに違いないセリフだが、そう聞こえないから不思議だ。こう続けている。

「アップルのシェアについて言えば、われわれは世界中のすべての企業の机の上にマックを乗せようと販売しているわけではない。そこを除いた市場をベースに考えれば、アップルのシェアははるかに高い。

この数年でコンシューマー市場でのシェアは二倍にもなっているよ。クリエイティブ系の業務マーケットでは五〇パーセント以上のシェアを誇っている。マーケットシェアがすべてを語っているわけではない。大切なことは、企業向け市場はアップルの主戦場じゃないってことだ」

別のインタビューでは、こんな言い方もしている。

「(若者向け衣料ブランドの) GAPはビジネススーツをつくらないのにどうして成功しているんだい? アップルは法人に売り込む努力なんてなにもしていない。でもアップルの製品は大企業もたくさん買い始めているよ、ただ好きだという理由だけでね。

iMacはインターネットに接続する時間も短く、ウィンドウズよりもメンテナンスコストが少なくてすむから、法人でも数多く利用されている。『フォーチュン500』に載るような大企業とのビジネスも増えると私は思っている。彼らはたくさんのコンシューマー製品を使っているからだ。私はパソコンビジネスの最大の市場は、コンシューマーだと確信している」

ジョブズだからこそ言えるセリフだ。これだけの成功をおさめれば、「アップルは大企業に売るための努力をしていない」という言葉も素直に受け取れる。「ひょっとしてジョブズはコンピュータ業界のあり方そのものを変えていくのでは?」と考えさせるところにジョブズの魅力がある。

◎──「小粒」という限界を突破する

ジョブズが法人市場をまるで意識していなかったわけではないだろう。ただ、IBMやビル・ゲイツがコンピュータを実用的なビジネスツールと見ていたのに対し、ジョブズは違った。二〇代のころから、教育程度が高く進歩的な家庭や大学生といった知識層をユーザーとして意識していたところはある。こうしたアプローチの違いが、アップルにおしゃれで画期的なマシンづくりを可能にしたのだ。

一九七七年にアップルIIでパソコン市場に革命を起こしたものの、ウィンドウズの台頭により、シェアは極度に低下した。普通に考えれば凋落である。だが、だからといってマックの魅力が失なわれたわけではない。根強いマックファンも世界中に存在する。確かに、アップルはコンピュータ業界のBMWであり、ベンツなのだ。

しかし、それだけでは「規模は小さいけれども良質な顧客を持つ個性的な会社」という域は出ない。

パソコンの世界というフェンスの中でできることは限られる。そしてアップルは、そのフェンスを跳び越えた。iPodがあり、フェンスを跳び越えた革命家スティーブ・ジョブズがいる。フェンスの外へ跳び出すことができれば、ビジネスチャンスは大きく広がる。

成功の風に乗っているときは、ためらわず突き進むことが大切だ。

＊

シリコンバレーを飛び越え、ハリウッドを淘汰したジョブズは、つぎに携帯電話の領域に手を伸ばす。ｉＰｈｏｎｅだ。

パソコンの成長率はもはや頭打ちだが、携帯電話はＢＲＩＣｓなど新興市場で急成長している。ｉＰｏｄで築いた卓越したインターフェースを最大限利用して、ＡＴ＆Ｔなど通信キャリア主導だった携帯電話をジョブズは変えようとしている。おもしろくない携帯電話端末しか存在しなかった業界に、ワクワクする独創的な製品で殴り込みをかけるのだ。

ちなみに、検索大手グーグルも、この業界に手を伸ばしている。電話事業の高いフェンスを乗り越え、異業種の参戦が始まった。

生態系は、そこに存在しなかったまったく別系統の生物が飛び込んでくると、大進化が起こる。通信キャリアがこの世の春を謳歌していた携帯電話業界にも、変化の時がやってきた。

7章

「待ち」は勝ちの重要な一部をなす

――ジョブズの「緩急」vs凡人の性急

成功への道は「曲がり角」が大切

◎――アニメを変えた「ピクサー」の誕生

一九八五年、アップル会長の座を追われ、すべてを清算した三〇歳のスティーブ・ジョブズは、手にした一億五〇〇〇万ドル（約三六〇億円）の使い道を考えていた。アップルでできなかったことをやろうと設立したコンピュータ会社ネクストで、高性能のネクストコンピュータの開発に熱中していた一方で、手に入れたい会社があったのだ。

ピクサーである。

話は少しジョブズから離れる。

ピクサーはもともと、二人の男が「コンピュータを使って、感動を与える長編フルアニメをつくりたい」という共通の夢を持って仕事を始めたことに端を発する。スタンフォード大学で二つの学位と一つの博士号を持ち、長髪で話好きなアルビー・レイ・スミスと、ユタ大学でCG研究を行ない物理学の博士号を持つ、もの静かで人見知りのエド・キャットムルだ。

やがて二人は、そのCG技術に興味を示した映画監督ジョージ・ルーカスのもとで「映画にCGで華を添える」ために活動するようになった。ただし、活動はルーカスフィルムのCG部門としてである。二人には、映画に入れる特殊効果くらいのCG技術はあったが、始めから終わりまですべてがCGだけでできた映画をつくる力はまだなかった。

一九八四年、ここにアニメの天才ジョン・ラセターが加わったことで、会社の潜在能力が飛躍的に高まることになった。

情熱にあふれ、人づき合いも上手なラセターは、カリフォルニア美術大学にディズニーが開設したキャラクターアニメコースの第二期生だった。アカデミー賞で有名な映画芸術科学アカデミーが主催する「学生アカデミー賞」を二度も受賞する才能を、学生時代から見せている。卒業後はすぐにディズニーに入った。いくつかのアニメーションを手がけたあと、一九八二年にSFファンタジー映画『トロン』によってコンピュータアニメーションにふれ、強く興味を引かれる。ラセターは、ストーリーのつくり方やキャラクターの立て方に非凡な才能を持っていた。

◎──ジョージ・ルーカス最大の弱点

ところが当時のディズニーの重役は、コンピュータをワープロや会計以外に使うことなど想像もできなかった。ラセターは徐々にディズニーに不満を感じるようになっていった。ちょうどそのころアルビーとエドに会い、「ルーカスフィルムのCG部門で働かないか」と誘われたのだ。

ラセターはルーカスフィルムに移り、これが大きな転機となった。

しかし、成功への道は、単純でまっすぐだとは限らない。本来、エドたちの技術と、ラセターの映画づくりの才能が両備されたすごいCG部門をルーカスフィルムは手にするはずだった。

だが、そう簡単ではなかった。

実はルーカスといえども、はじめからCGの力を十分理解していたわけではなかったのだ。映画『スター・ウォーズ』の第一作では、ライトセーバーぐらいにしかCGは生かされていなかった。CGでもっとすごいことをやりたいとうずうずしていたエドたちは『スタートレックII・カーンの逆襲』でデコボコの惑星表面をかすめて飛ぶ宇宙船、それをめがけてロケット弾が襲ってくるシーンをＣＧでつくり上げる。ルーカスは驚き、ＣＧの威力を知り始める。

だがその一方で、ルーカスにはやっかいな問題が進行していた。妻マルシアとの離婚だ。米国カリフォルニア州では、結婚している間に築いた資産は、半分を妻が受け取る権利があった。ルーカスの資産はルーカスフィルムをはじめとしたいくつかの映画制作会社だけだ。成功で得た現金はすべてこれらの会社に替わっていた。

ルーカスの選んだ結論は、その中のＣＧ部門を売って現金化し、離婚の慰謝料とすることだった。

スティーブ・ジョブズは、「ルーカスがコンピュータ部門を売りたいらしい」という話を、アップルフェローのアラン・ケイから聞いて興味を持つ。さっそく、ルーカスフィルムがあるサンラファエルへと向かった。

アラン・ケイは、ジョブズより一五歳年上で、パーソナルコンピュータの概念を世界ではじめて打ち出した人物だ。ゼロックスのパロアルト研究所（ゼロックスＰＡＲＣ）で働き、「未来を予測する最善の方法は、それを発明することだ」という有名な言葉を残した。

アップルで、きわめてすぐれた技術者だけに贈られる特別称号アップルフェローを与えられている。

ちなみにアップルCEOだったギル・アメリオは「アップルフェローになるのはハーバード大学で教授になるより難しい」とまで表現している。

◎――待てば相手が変化する

ジョブズは、サンラファエルで目にしたものに仰天した。彼は、かつてゼロックスPARCで、のちにマッキントッシュで使われる画期的な技術の数々を目にして感動したことがある。今回もそれと同じ感動を覚えた。

ルーカスフィルムのCG部門がつくったデジタル画像は、信じられないほど鮮やかだった。映画クリップも、見たこともないタイプだ。

なによりも興味を引かれたのは、CG分野最高の人材が集まっていることだ。どこにもない独創的なものを日々つくり出している。

すばらしいコンピュータシステム、ソフトウェア、そして人材。そのすべてをルーカスは「売っていい」と言っている。値段は三〇〇〇万ドル。払える金額だ。喉から手が出るほどほしかった。

ところが、ジョブズはすぐに「ほしい」とは言わない。時機を待つことにしたのだ。ルーカスは慰謝料のために早く売りたがっている。一方で、ほかにも買い手はいるだろう。今すぐ値下げ交渉に応じるとは考えにくいが、可能性はある。ひとまず相手の動きを見ることとした。

有力な買い手候補は二つあった。ディズニーと、GM取締役で実業家のロス・ペローである。ペローはのちにアメリカ大統領候補ともなった人物だ。

ルーカスはまずディズニーの重役に、事業の半分を一五〇〇万ドルで買わないかと持ちかける。重役は興味を持ち、会社の承認を得ようとする。だが、ディズニーの長編映画責任者で専制君主を自認するジェフリー・カッツェンバーグが「そんなものに関わっている時間はない」と一蹴してしまう。

新しいものを見きわめる力は大切だ。過去にこだわると大切なチャンスを逃してしまう。このとき「そんなもの」と一蹴した会社を、のちにディズニーは七四億ドル（約八五一〇億円）もの大金で買うことになる。

だが、これはディズニーにだけ見る目がなかったというより、映画界におけるCGの可能性をみんなが認識していなかった証《あかし》とも言える。

一方のロス・ペローは、新事業としてCGに興味を持っていた。そこで、オランダのエレクトロニクス企業フィリップスを説得する。GMとフィリップスの共同提案として、三〇〇〇万ドル近い条件を提示、契約書にサインするところまでこぎつけた。

ところがなんと契約当日、ペローがGM取締役会から放逐されたことが新聞のトップを飾る。その瞬間、この話は白紙となった。

あてにしていた買い手が二人ともいなくなったことで、ルーカスは急いで交渉をまとめる必要に迫られた。

ジョブズはこのときを待っていた。喉から手が出るほどほしいが、三〇〇〇万ドルも払う気はなかった。買い手をなくし、緊急でお金を必要とするルーカスは、このとき理想の交渉相手となった。

◎——成功の裏の真実

だが、交渉は簡単には行かず、長引いた。早く売りたいルーカスは我慢できず、交渉を打ち切ると通告する。

ジョブズは平気だ。あきらめることなくルーカスをしつこく追い回しては交渉のテーブルに引き戻す。その結果、なんと一〇〇〇万ドル弱まで値切ることに成功した。ルーカスにとっては、あてにしていた金額の三分の一だが、ほかの選択肢はなかった。

買収後、アルビーとエドが四パーセントずつ、残りの九二パーセントをジョブズが出資して、新会社「ピクサー」が誕生した。

ところでジョブズは、はじめからピクサーの映画制作能力を見抜いていたのだろうか。実は、ジョブズは、映画制作にさほどの興味はなかった。むしろピクサーが所有していたハードに魅力を感じていた。

のちにこう本音をもらしている。

「(ピクサーを買収した) 一九八六年に、ピクサーにどれほどのお金を今後投入しなければいけないか知っていたら、買ってはいなかっただろう」

ジョブズは、買いはしたものの、もう一つの会社ネクストの経営にエネルギーを費やす。ピクサーにはたまにしか顔を見せない。

対してピクサーは、ジョブズ以外のメンバー全員が、CGでの映画制作で前人未踏のフロンティアを歩いているという自負と情熱を持って仕事をしていた。会社は、アルビーとエドを中心にうまく回っていた。こまかい点までくちばしを突っ込みたがるジョブズが、ピクサー経営にほとんどタッチしなかったからだ。

つまりピクサーの成功はジョブズが経営しなかったからだともいえる。成功の裏には意外な真実が眠っているものだ。

＊

ジョージ・ルーカス以上にＣＧの可能性を見抜いていた映画監督がいた。『ターミネーター』などをつくったジェームズ・キャメロンだ。一九九七年に彼が制作したヒット映画『タイタニック』では、タイタニック号の大半がＣＧでつくられている。

だが、発表当時、評論家はこぞって「いまさらタイタニックなんか」と冷笑し、興行の失敗を予想していた。タイタニック号をテーマとした映画は、すでにたくさんつくられていたからだ。しかし、予想を裏切って大評判となり、観客動員、興行収益など世界記録を打ちたて、ギネスブックに載り、アカデミー賞までも獲得する。

ジョージ・ルーカスの大ヒット作『スター・ウォーズ』も、脚本をハリウッドに持ち込んだ時、映画会社のことごとくに「こんなものはダメだ」と断わられている。やっとひとつの映画会社の重役が興味を示し、かろうじて制作にこぎつけたのだった。

なにがヒットするかを予見するのは簡単ではない。だからこそ挑戦のしがいもある。

それがダメでも、ほかのなにかがうまくいく

◎――どん底で得た勲章

ピクサーは、ブリキのオモチャと赤ん坊を描いたCGアニメ映画『ティン・トイ』を制作、これがアカデミー賞の短編アニメ部門賞を受賞する。技術力、芸術性への評価が急激に高まった。ただ、経営的には苦労していた。

そのピクサーに出資し、メンバーみんなが夢見ていた長編CGアニメの制作を可能にしてくれたのはディズニーだった。

アプローチしたのは、ピクサーからだ。申し出を受けたディズニーの長編映画責任者ジェフリー・カッツェンバーグは、ジョン・ラセターの才能をとても信頼していた。ラセターは、もともとディズニーで働いていたのだった。

実際、カッツェンバーグは、ラセターに「ディズニーに戻ってほしい。アニメ映画制作

の裁量権を与えるから」とまで言って誘ったこともあった。ところが、ディズニーの重役からの魅力的な誘いを、ラセターは、こんな名言で断わっている。

「ディズニーでも映画はつくれる。でも、ピクサーなら歴史がつくれる」

他方、ハリウッド映画界でもCGへの取り組みを本格化させる人々が出てきていた。その一人が監督のジェームズ・キャメロンだった。アーノルド・シュワルツェネッガーの『ターミネーター』や『エイリアン2』を撮った彼は、一九九一年の『ターミネーター2』で、すばらしいCG技術を使った。液体金属でできた悪役が、顔をまっぷたつに割られても、散弾銃で打たれてもすぐに復元するシーンは、観客を釘づけにした。

そんな風潮に、ディズニーも新しい波に乗り遅れてはいけないと気づいた。それに、ディズニーはアニメが不振続きだった。ラセターのいるピクサーとの仕事は悪い話ではなかった。

ピクサーは「ディズニーの資金でクリスマス向けのテレビアニメをつくる」という思い切った提案をした。社内で検討した結果、ディズニーは「ピクサーが長編アニメ映画を制作し、ディズニーが資金を提供する」と満額の答を出してくれた。さらに「プロモーションも配給もディズニーが行なう」という夢のような回答までしてくれた。

ネクストとピクサーという二つの赤字会社を抱える苦境のどん底のスティーブ・ジョブズにとっても、飛び上がらんばかりにうれしいニュースであったに違いない。

◎──相手の性格を逆手にとれ

ハリウッドは魔の都だ。素敵な映画をつくりたい純粋な天才のまわりに、魑魅魍魎《ちみもうりょう》が跋扈《ばっこ》する。ひと儲けしたい優秀なろくでなし、巨額をふっかける契約専門の腕利き弁護士、ウソと裏切りが手ぐすねを引いている。

そんな環境もあって、契約交渉はスムーズには進まなかった。

その上ディズニーには「全面外注はしない」というミッキーマウス登場以来の伝統があった。しかし今回は、制作をすべてピクサーで行なう全面外注である。ディズニーの立て直しに取り組んでいた野心家カッツェンバーグは、伝統を破ってでもラセターという才能に賭けたかったのだ。

しかし、社内は一枚岩になっていなかった。伝統にこだわる人々との調整は容易でなかった。カッツェンバーグの右腕と称されるピーター・シュナイダーまでが、伝統堅持を楯《たて》に、ピクサーとの話に反対の姿勢をとった。「ディズニーでアニメ映画をつくれるのは自分だけだ」とまわりに信じさせたい本心があったからであった。

結論が出ないまま時間が経過した。「話が流れるのでは」とみんなが心配し始めたころ、ジョブズが一つの賭けに出た。

ディズニー以外の映画会社にアプローチする姿勢を見せたのだ。

有力ないくつかの会社の重役たちと、ホテルやレストランなど業界人の好む場所で目立つようにランチをとる。なにを話すか、なにが決まるかはどうでもよかった。大切なのはピクサーのジョブズが、ディズニー以外の映画会社の重役と食事をしたという事実である。その目撃情報がディズニーに伝わることだった。

「ディズニーと仕事がしたいなら、ディズニー以外と話をするな」と常々言っていた誇り高きカッツェンバーグから、しばらくして連絡が入った。「ジョブズに会いたい」という。相手の尊大な性格を逆手に取って、これみよがしにほかの映画会社の重役たちと会ってみせたジョブズの作戦勝ちだった。

◎──「私と取引したいなら……」

「私と取引したいのなら、私が好むような契約書を持って来い」

こう言って、相手が用意した契約書を平気でゴミ箱に放り投げる。たとえ相手がＩＢＭであり、自分の会社ネクストが赤字続きであっても、おかまいなしにやってしまう。それがスティーブ・ジョブズのスタイルだ。

前にふれた通り、ジョブズがネクストをつくって間もないころ、ＩＢＭからネクストのＯＳ「ネクストステップ」の使用権を購入したいという話が来た。ありがたいことだ。さっそくＣＥＯのジョブズがＩＢＭを訪ね、条件をすべて飲んで話をまとめる……というのが常道だ。

しかし、彼は「世界が自分のところに日参するのが当たり前だ」と思っている。ＩＢＭとの契約を自分の都合で引き延ばした。その結果、ネクストステップがＩＢＭ製品に搭載される千載一遇の好機を逃してしまう。ビル・ゲイツを追い落として世界一の金持ちになるチャンスを永遠に失なったのである。

ジョブズ自身が、これを過ちと思っていたかどうかはわからない。

だが、いずれにしてもジョブズは、交渉とは「自分が相手に合わせる」のでなく、「相手が自分に合わせる」ことだと考えていたふしがある。自分の状況はどうあれ、お願いしてくるのは常に相手からであり、決して自分からではないのだ。

◎──「ありがたいけれど私は私だ」

次の話も、自己中心的で傲慢なジョブズの交渉術を象徴する。

アップルを追われてネクストをつくったとき、以前に知り合ったテキサスの大富豪ロス・ペローから「投資が必要になったら、いつでも電話しなさい」という申し出があった。だが、若きジョブズは「喉から手が出るほどお金がほしい状態なのか」と見られたくない。そのため、即答しなかったのである。

当時、ジョブズはアップルから引き抜いた数人のメンバーと教育機関向けコンピュータをつくろうと考えていただけで、ネクストにきちんとした事業計画はなかった。そんな程度の会社に、ジョブズという男の素質を見込んで投資をしようというのだ。それも先方からわざわざ声をかけてくれたのである。

そんなありがたいロス・ペローに、ジョブズは事業計画すら持たないままに、一週間後に電話をする。個性のとがった気難しい二人の話し合いがうまくいくのか、凡人には予測もつかなかった。

しかし、ジョブズは得意のプレゼンテーションを展開する。他人には見えないがジョブズにだけ見える夢。それも大きな夢が、手の届くすぐ先に待ち受けているかのようなカリスマ的な話術だ。テキサスの大富豪ロス・ペローの心を、シリコンバレーの寵児はみごとにつかみ、実に二〇〇〇万ドル（約二二億円）もの投資を引き出している。

ちなみに、歴史はベンチャー投資の難しさを証明している。経験豊かなロス・ペローにして、ネクストから投資に見合う利益を上げることはできなかった。一九九三年、ジョブズの経営スタイルに見切りをつけ、投資損失を償却して手を引いている。

＊

新しい技術や製品は、世の中でなかなか認められないことが多い。どうしてだろうか。それは、世間が「固定観念」に縛られているからだ。

ジョブズがパソコンを世に出したとき、個人がコンピュータを持つのは非常識だった。大型コンピュータを共同で使い、利用するには専門知識が必要だったからだ。

あるいは、一九七五年に家庭用ビデオが誕生したときも非常識といわれた。当時、ビデオは映像のプロが使うもので、個人が使うものではなかったからである。

斬新な製品がヒットするには、ビジネス上の競争に勝つ前に、世間の「固定観念」に打ち勝つことが求められているのだ。

人は最後にはなんで動くか

◎――年とともに大きく実る人の共通点

熱くとがったひたむきさは、年とともに冷め、丸くなり、若き日のエピソードと化すことが多い。だが、スティーブ・ジョブズは違う。幼い子供時代から大成功を遂げた今日まで、思い込んだら押し通す。

たとえば一一歳のジョブズは、飛び級で、サンフランシスコのマウンテンビュー市クリッテンデン・ミドルスクールに入学する。そこは運悪く、乱暴者の多い大荒れの学校だった。暴力沙汰が横行し、警察がしょっちゅうやってくる。飛び級できるほどのジョブズの知性や感受性、個性に注意を払い、育ててくれる教師はいなかった。

学校に嫌気が差したジョブズは意を決して、アメリカの学校では年度末にあたる夏休みに「九月からの新学期に学校には行かない」と両親に宣言した。まだ一一歳の子供が「学校に行かない」と言い張るのだ。こうして手にしたものは、クリッテンデン・ミドルスクールからの転校であり、それまで暮らしたマウンテンビュー市からの引越しであった。

「とにかく学校に行かないって言うんで、引っ越したんですよ」とは父親ポールの言葉だ。この当時からすでに、目的達成に向け、家族を説得するほどの意志の強さを見せていた。

大学進学に際しても、それは発揮される。

リード・カレッジを選んだのだが、両親を嘆かせたのは、学費の高さと、オレゴン州ポートランドという遠さだった。ここでもジョブズは「リードに行けないならどこにも行かない」と両親を振り回して進学をする。

だが、半年在籍しただけで中退した。のちにジョブズはその理由を、大学に入ったものの人生の目標が見出せず、その状態であまりに高い学費を両親に出し続けてもらうことは申しわけないと感じたからだと説明している。

大学生活ではお金に苦労した。清涼飲料水の空ビンを店に持って行き、金に換えてもらって食料を買う。日曜の夜には七マイルも歩いてヘア・クリシュナ寺院に行き、無料の食事の施しを受ける。そんなみじめなものだった。若かったジョブズは人生の目的がそこで見出せると思ったのだが、現実は違った。

ただ、退学の決断は人生で最高のものだったとも述懐している。退学の決意をきっかけに、興味は、熱中できなかった必須科目の授業から、おもしろそうな授業に移り、そこで重要な出会いが待っていた。

リード・カレッジのキャンパスには、いたるところに美しい装飾文字で飾られたポスターや戸棚のラベルがあった。ジョブズは、アートの要素を持つ文字に出会ったのだ。そこで、すばらしい書体の実現にはなにが必要かを学ぼうと、装飾文字を教える「文字芸術」のクラスにこっそり出席し熱中していく。それが将来なにかに役立つとは思ってもいなかった。

アップルのつくったマッキントッシュは美しく多様な書体機能を持った最初のコンピュータといえる。編集者やデザイナーが好んでマッキントッシュを使った理由はそこにあったのだ。そしてマッキントッシュに美しい書体機能を持たせたのは、ジョブズがリード・カレッジで受けた「文字芸術」での体験からだったのである。

時間がたち、五〇歳になったジョブズは、こう若き学生たちにアドバイスしている。

「興味を持った一つ一つのことに熱中していけば、そのときは散らばっている点のような別々の存在が、将来にはつながり合ってすばらしい一つの大きなものとなる」

◎──「アップルにそんな資金はない」

リード・カレッジを中退して両親のもとに戻った一八歳のジョブズは、仕事を見つけなくてはいけなかった。

彼は、ビデオゲームで大成功したアタリへの就職を考えた。アタリは急成長していて、いろんな連中が「あんたのために働いてやるよ」とシリコンバレー流の強引さと高飛車な態度で押しかけていた。

アタリの人事責任者は、技術者の応募にきたジョブズをともなって技術部門の管理職アル・アルコーンのところに来ると「この変なヤツが、雇ってくれるまで帰らないと言い張っているんだが。警察を呼ぼうか、それとも採用しちゃうかい」と聞く。アルコーンは、ヒッピーのようなぼろぼろの服を着て会社を訪ねた大学中退の青年を採用した。決め手は、内面からとても輝くものを感じたからだという。

輝くものとは、内に秘めたエネルギーであり、なにごとかを成し遂げるんだという雰囲気であり、先を見通すビジョンだ。なにより、アタリで働くんだという強い意志が、アルコーンを揺さぶったのだった。

その後、二一歳でアップルを設立したジョブズは、資金の問題で頭を悩ますことになる。手持ち資金はわずか一〇〇〇ドル程度。そんなアップルに、バイトショップというコンピュータ販売チェーンとなる事業を始めたポール・テレルから「君の会社がもしコンピュータ機能を搭載した基板をつくって納めてくれたら、ウチで売ってもいいよ」という話が持ち込まれた。

アップルの最初の製品アップルⅠを五〇台注文する総計二万五〇〇〇ドルものビジネスだった。ジョブズはもちろん、商売にうといスティーブ・ウォズニアックでさえ「会社の歴史上最高のエピソードだったよ」と言うほど、すばらしいできごとだった。

この商談がうまくいけば事業は軌道に乗る。しかし、そのためにはまず基板部品を買う資金が必要だった。アップルにそんな資金はない。借りるあてもなかった。

◎──ジョブズは最後のツメを絶対怠らない

ジョブズは資金を求めてシリコンバレー中をあたったが、あちこちで断わられた。最後に訪問したとあるパーツ業者で、アップルⅠを五〇台注文するというポール・テレルからの正式注文書を見せ、部品を代金あと払いで信用販売してくれるように頼み込んだ。熱心さに感心したこのパーツ業者のマネジャーだったボブ・ニュートンは「テレルが本当に注文したのか、あとで確認しておく」とジョブズに約束する。だが、ジョブズはその言葉だけでは帰ろうとしなかった。

ニュートンが電話をするまで帰らない。

これがジョブズの答えだった。今のジョブズとまったく違ってシロウト丸出しだが、積極果敢と感じたニュートンは、ジョブズの熱意に負けて、電話をかけまくってテレルをつかまえ、ジョブズに二万五〇〇〇ドルもの大量注文をしたことを確認したのだ。

こうしてジョブズは三〇日払いの約束でパーツ業者から部品を購入できた。一カ月でコンピュータを組み立てて完成させ、期日通りに納品してビジネスを成功させたアップルは、大切な一歩を踏み出した。

ジョブズとウォズニアックはアップルⅠを予定通り完成させたばかりか、市場から好評を得て、年末までには一五〇台のアップルⅠを納品し、一〇万ドル近い収益を生み出したのだ。アップルⅠは、電子部品が基板の上にハンダ付けされたマザーボードだけの製品だ。キーボードもモニターもなかった。

しかし、当時のコンピュータは、とても大衆が使えるものではなく、大企業だけが商業用や科学用に利用する段階だった。大型のコンピュータは電算機センターという大きな建物や、空調管理がなされた電算室に置かれた。利用者はそこまで出かけ、オペレーターに頼んで使わせてもらう。コンピュータを動かすには専門知識を持った何人ものオペレーターが必要だったのだ。

データはフロッピーではなくパンチカードで入力される。専門知識のあるごく少数の人しか使えず、しかもいつでも利用できるわけではなかった。

それはタイタニックのような巨大船ともいえた。利用するには港まで行かなければならない。料金は高く、船の行き先を途中で変更することもできず、すべては船長任せだった。

ジョブズが目ざしたのは、タイタニックではなく、自家用自動車といえよう。自分の家ですぐに乗り込んで使え、思うところへ、自分で運転して、自分の好きな時間に好きなだけ利用できる。専門知識もいらない。

その第一歩が、個人が使うアップルIであった。

◎――信念の方向を間違うと……

話をアップル創業時のジョブズに戻そう。

広告代理店のレジス・マッケンナ・エージェンシーとの交渉で、「イエスと言うまで帰らない」としつこく言い張って、最終的に「イエス」を取りつけた。さらに広告資金を出してもらうべくベンチャーキャピタルのドン・バレンタインに毎日、三回も四回も電話をかける粘り強さで、出資可能な人物にたどりつく。

だが、熱意や信念は方向を間違うととんでもないことにもなる。

アップル設立後、自分の社員番号が一番ではなく二番である（一番はウォズニアックだった）ことに我慢のならなかったジョブズは「一番が無理なら〇番にしてくれ」と涙ながらに訴える子供じみた強引さも発揮している。

さらには、マッキントッシュの産みの親であるジェフ・ラスキンからプロジェクトを取り上げようとした際にも、「ラスキンとこれ以上、一緒に仕事は続けられないんだ」とやはり涙ながらに執拗に取締役たちに訴えている。

一億ドル企業のトップとは思えないわがままぶりだ。

だが、どんなに高尚であろうと、はたまた子供じみてバカげたものであろうと、ジョブズが目標に向かって進み始めたら、だれも妨げることはできなかった。ジョブズにとって、目の前の障害は、前進を妨げるものではなく、なんとしても取り除く対象なのである。

ソニーのかつての家庭用ビデオ「ベータマックス」は、発売開始まもなく、ハリウッドの映画界から著作権侵害だと訴えられた。強大な敵・ハリウッドは、すご腕の弁護士でチームをつくり、アジアの小国・日本の新製品をたたき潰そうとした。創業以来最大の危機に、盛田昭夫は、すぐさま行動を起こす。米国に乗り込み、テレビに出て「ベータマックスは視聴者の利益になる」と説いてまわったのだ。決して流暢《りゅうちょう》とは言えない英語を懸命に駆使して力説する盛田のエネルギーは裁判所を動かし、ハリウッドのオールスター弁護士チームを打ち破った。

*

ホンダが二輪車から四輪車に参入しようとした昭和三六年、貿易の自由化に対抗して、日本の自動車会社をグループ化する動きが通産省から出た。「米国に対抗するには、日本の自動車会社は二〜三社でいい。新規参入などダメだ」という小役人の法案が通れば、ホンダは自動車を断念せざるをえなくなる。このとき本田宗一郎は猛然と戦いを挑み、これを廃案にさせた。もし法案が通っていたら「世界のホンダ」も、米国の排ガス規制の切り札となったホンダ開発の新型エンジンも生まれなかった。厳しい戦いに先陣を切って進んでいく情熱が、トップには必要である。

愚直は交渉の最終兵器である

◎――何度もつきたジョブズの運

スティーブ・ジョブズの人生は、「まえがき」でふれた通り、まるで成功の頂《いただき》と挫折の谷を行き来するジェットコースターのようだといえる。

二一歳のときにわずか二人でつくったアップルを、数年でシリコンバレー有数の企業にした。一方で、資産数百億円の若き成功者になったジョブズは、織田信長のような暴君ぶりを発揮しすぎてしまう。ついに「本能寺の変」で、ジョン・スカリーにより、三〇歳でアップルを追放される。

シリコンバレーで一番有名な失敗者となってからつくった会社ネクストは、なかなか成功しなかった。さらに赤字会社ピクサーに、毎年数億円から数十億円の自分のお金を投入し続ける。このときは、出口の見えないトンネルに入ったかのようであった。

しかし、九年間の辛苦の末、ピクサーの作品はアカデミー賞を受賞する。ハリウッドを驚かせる映画制作会社に大変身したのである。一〇〇〇万ドルで買ったピクサーの価値は、七〇〇倍以上の七四億ドルとなり、ジョブズはディズニーの個人筆頭株主になると同時にビリオネアとなる。

低迷を続けていたアップルに四〇代で復帰してからは、iMacで新たなユーザーを獲得し、さらに、すでに先行企業がひしめいていた携帯音楽プレーヤー市場にあえて打って出てiPodで大成功をおさめる。また、常識では不可能と信じられていた大手音楽会社が参加する音楽配信サービスiTMSをも成功させる。

気がつけば、アップルの売上の半分はコンピュータではなくiPodから生み出されるようになっていた。ジョブズはアップルを、音楽業界までも席巻するデジタル複合サービス提供企業へと進化させていた。

挫折と成功の狭間を勝ち抜いたカリスマ経営者ジョブズは、もはや敵なしと思えた。

しかし二〇〇四年、それまでの人生で経験したことのない壮絶な試練がジョブズを襲う。不治の病とされる膵臓《すいぞう》ガンに冒されていたのだ。とここに至って、もはや運は尽きたかに思えた。しかし、ここからもジョブズは奇跡の復活を遂げる。

◎――「本当に大事なことだけが残った」

「二〇〇四年、私はガンと診断された。朝七時三〇分にスキャンを受け、膵臓にはっきりと腫瘍《しゅよう》が映っていた。私は膵臓とはなにかも知らなかった。医者たちはこれはほぼ間違いなく治癒しない種類のガンだと告げ、三カ月から六カ月よりは長く生きられないと覚悟するように言った。医者は家に帰って身辺整理をするようにすすめた。これは医者の言葉で死の準備をせよとのことだった。子供にこれから一〇年の間に教えようと思っていたことすべてをたったの数カ月で教えろということだ。可能な限り家族が困らないように万事準備が整っていることを確かめておけということだ。そして、別れの言葉を言っておくようにということだった」

これは二〇〇五年にジョブズが行なったスタンフォード大学の基調講演での一節だ。

膵臓ガンであるという診断を受けたときのジョブズのショックは計り知れない。今の時代、ガンといっても早期発見、早期治療さえ行なえば、致命的な病気ではないのだが、膵臓ガンは違っている。現在の技術でも完治が難しく、余命一年前後という診断を受けることが多い。

ましてや「三カ月から六カ月」という診断なのだからなおさらだろう。稀代の経営者にして挫折から幾度もよみがえったジョブズの運命はここで尽きるかに思えた。

しかし、ここでも天才ジョブズは奇跡を引き寄せる。

「私は一日中その診断を受け入れて過ごした。夜になって生体検査を受けた。つまり内視鏡を喉、胃、腸を通して膵臓に針を刺し、腫瘍から細胞を何個か採取したのだ。私は鎮剤で眠っていたが、妻もそこにいたので、そのときの様子を教えてくれたよ。医者たちは細胞を顕微鏡で見ると叫び出したそうだ。なぜならそれは手術で治癒可能なものだったからだ。私は手術を受け、今はこんなに元気だよ」

二〇〇四年八月、手術に向かう直前のスティーブ・ジョブズは友人や仕事仲間、社員に向けて、自分が膵臓ガンであることを告げる。それとともに、「八月は療養にあて、九月には復帰する」と伝えている。事実、ジョブズの手術は成功し、早くも九月にはアップルの会議に顔を出すほどに回復していた。

ジョブズはこんなことを言っている。

「人生で大きな決断を下す際にもっとも助けになったことは、もうすぐ死ぬということを頭に入れておいたことだ。周囲の期待やプライド、または失敗や恥への恐怖は、死を前にすると消え去り、本当に大事なことだけが残る。自分の気持ちに従わない理由はない」

◎――自分の内なる声を聞け

そして卒業を控えたスタンフォード大学の若者には、つぎのような言葉を贈っている。

「君たち、人生の時間は限られている。他人の人生を生きてこの限られた時間を無駄にしてはいけない。世間の常識などという罠《わな》にはまってはならないよ。他人の意見という雑音に、自分自身の内なる声をかき消されないようにすることが重要だ。そしてもっとも重要なことは、自分の心と直感に従う勇気を持つことだ。心と直感は本当になりたい自分を知っている。それ以外のものなんてのは二のつぎだ」

これは若い学生たちへのメッセージだが、深く読むと、ジョブズ自身の決意を示す挑戦状とも思えてくる。自分は今の成功でまだ満足はしていないぞという意欲だ。

挫折や死の恐怖を味わうことで、たいていの人は謙虚さを身につけるものだが、ジョブズの場合、そうではない。さらに内なる声に正直に生きることを誓い、自分の考えや行動により自信を深めている。立ち止まる気などさらさらない。

少しぐらいの失敗、少しぐらいの挫折で自信を失なってはいけない。そしてまた、成功したからと満足してもいけない。常識に足もとをからめとられず、やりたいと心が叫ぶものに向かって、自信をもって臨むべきだ。挫折から不死鳥のごとく甦るには、自分の信じるものに向かって、まわりがなんと言おうと挑み続けろ。

孤高の天才ジョブズはつぎの言葉でスピーチを締めくくっている。

「ハングリーであり続けろ。愚かであり続けろ」

＊

「大金持ちでも貧乏人でも、白人でも黒人でも、『三つのこと』しか人生にはない」とは、ある哲学者の言葉だ。一つ目はオギャーと生まれることだ。二つ目は死ぬことである。この二つは、自分の思い通りにはならない。だが、三つ目は自分の思い通りにできる。それは、生まれてから死んでいくまでの間を「生きる」ことだからだ。

だが会社勤めをしていると、いつしか自分の人生が他人の人生にすりかわっていることがある。社内での地位の安定を求めると、自分の人生からそれていく。自分の意志を通そうとすると、立場は不安定になる。組織の中で自分の人生を生きるには、不安定な状況を受け入れる覚悟が必要だ。そして、自分の人生を生きようと挑戦するサラリーマンからこそ、すごいモノは生まれるのだ。

あとがき

本書は、二〇〇七年二月に上梓し、好評をいただいた『スティーブ・ジョブズ　神の交渉術』（経済界）を、読者の要望に応じて再編集し、加筆訂正したものです。ご協力いただいた吉田宏氏、桑原晃弥氏に感謝します。

なお、本文中のドル＝円は、その年ごとの為替レートで換算してあります。

【参考文献】

『The Second coming of Steve Jobs』（Alan Deutschman／Broadway Books）
『West of Eden：The End of Innocence at Apple Computer』（Frank Rose／Viking Penguin Inc.）
『iCon：Steve Jobs, The Greatest Second Act in the History of Business』（Jeffrey S. Young／John Wiley & Sons Inc.）
『Steve Jobs, The Journey is the Reward』（Jeffrey S.Young／Lynx Books）
『Apple confidential 2.0』（Owen W. Linzmayer／No Starch Press）

GQ Japan（Dec. 2005）
Fortune（Jan. 24, 2000）
Rolling Stone 2003（Dec.3, 2003）
http://news-service.stanford.edu/news/2005/june15/jobs-061505.html
日経ビジネス２００６年４月３日号
本田宗一郎語録（本田宗一郎研究会／小学館文庫）
盛田昭夫語録（盛田昭夫研究会／小学館文庫）
ｉＰｏｄ成功の法則（竹内一正／成美文庫）

※本書は、二〇〇七年に『スティーブ・ジョブズ　神の交渉術』として弊社より刊行されたものを加筆・修正し、再編集したものです。

竹内　一正（たけうち・かずまさ）

1957年岡山県生まれ。徳島大学工学部大学院修了、米国ノースウェスタン大学にて客員研究員として材料工学を研究。松下電器（株）入社、新製品開発、海外ビジネス開発などに従事。1995年アップルコンピュータ社にてMacOSのライセンス事業、PowerMacのプロダクトマーケティングなどに携わる。その間、スティーブ・ジョブズが暫定CEOとしてアップル社に復帰。以降、日本ゲートウエイ（株）、メディアリング（株）の代表取締役などを歴任、コンサルティング事務所「オフィス・ケイ」代表。
著書に、『スティーブ・ジョブズ　神の交渉術』（弊社刊）、『松下で呆れアップルで仰天したこと』（日本実業出版）、『現場力がみるみる強くなる本』（中経出版）、『松下！　なぜ「危機を飛躍」にできたのか』（大和書房）などがある。
URL：http://www.office-kei.jp
e-mail：kaztake@k3.dion.ne.jp

リュウ・ブックス
アステ新書

RYU BOOKS ASTI

スティーブ・ジョブズ　神の交渉力

2008年6月5日　初版第1刷発行

著　者　竹内一正
発行人　佐藤有美
編集人　渡部　周
発行所　株式会社経済界
〒105-0001　東京都港区虎ノ門2-6-4
出版部☎03-3503-1213
販売部☎03-3503-1212
振　替00130-8-160266
http://www.keizaikai.co.jp

装幀　岡孝治
表紙装画　門坂流
写真　林 幸一郎
印刷所　（株）光邦

ISBN978-4-7667-1048-9